Drinken vissen water?

D1413198

Eerste druk april 2007
Tweede druk juni 2007

© Margriet van der Heijden & Maarten Frankenhuis 2007
Alle rechten voorbehouden
Illustraties Irene Goede
Vormgeving Novak
NUR 223
ISBN 978 90 468 0150 5
www.nieuwamsterdam.nl
www.artis.nl

Margriet van der Heijden & Maarten Frankenhuis

Drinken vissen water?
en andere vragen van kinderen aan Artis

Met illustraties van Irene Goede

Nieuw Amsterdam *Uitgevers* in samenwerking met

Inhoud

Olifantenkalf
Olifantjes zitten het langst in de buik van hun moeder:
ongeveer 22 maanden, dat is bijna twee jaar.

Waarom worden de meeste dieren geboren in de lente?

Lammetjes worden geboren in de lente. Eendenkuikens kruipen in de lente uit hun ei. Veulentjes proberen voorzichtig op hun pootjes te staan...

In de lente zie je jonge dieren, en dat is niet zomaar. In de lente zijn er verse jonge blaadjes aan de bomen. In de lente is het gras groen. In de lente kruipen er dikke rupsen rond en zijn er smakelijke kevertjes te vinden. Er is dus lekker veel te eten.

De lente heeft nog iets fijns: het is niet meer zo koud. Zelfs 's nachts niet. En als de lente naar de zomer toegaat, wordt het steeds warmer. Dieren die veel eten, hoeven de energie uit hun voedsel dus niet allemaal te gebruiken om zichzelf warm te houden. Ze kunnen die steken in de groei van stevige botten, tanden en nagels. In glanzende veren en een harde snavel. Ze kunnen er een speklaag mee kweken en een dikke vacht. Ze kunnen groot en sterk worden, en klaar voor de winter, als het koud is en guur en als eten maar moeilijk te vinden is.

Dat is vooral belangrijk in streken waar de verschillen tussen zomer en winter groot zijn. Op de savanne in Afrika of in de oerwouden van Zuid-Amerika en Indonesië, waar het altijd ongeveer even warm is, maakt het natuurlijk niet zoveel uit wanneer jonge dieren geboren worden. Maar in streken zoals bij ons, waar de

Te koud

Sommige zoogdieren dragen hun jong maar drie maanden of korter in hun buik. Om het jong in de lente te werpen, zouden ze eigenlijk middenin de winter moeten paren. Maar dan is het te koud om rond te gaan struinen en een partner te zoeken. Sommige van deze dieren – marters, zeeleeuwen, beren en sommige vleermuizen bijvoorbeeld – hebben een betere oplossing. Zij paren in de herfst en de vrouwtjes bewaren daarna de bevruchte eicel een tijdje in hun buik: alsof ze het eitje nog even in de diepvries leggen. Pas een paar maanden voor de lente laten ze het eitje dan in hun buik uitgroeien tot een jong.

winters koud zijn, moeten de vaders en moeders juist goed opletten dat hun jongen tijdig worden geboren.

De vaders en moeders moeten dus op tijd gaan paren. Voor vogels is dat makkelijk, want die paren kort voor ze eieren leggen. Maar zoogdiermoeders dragen een jong vaak maandenlang in hun buik: hoe groter het zoogdier, hoe langer dat duurt. Wilde paarden bijvoorbeeld dragen hun veulen elf maanden, edelherten dragen hun kalfjes bijna acht maanden en geiten en schapen dragen hun geitjes en lammetjes ongeveer vijf maanden. Wilde paarden moeten dus al bijna een jaar eerder in de lente gaan paren. En edelherten, geiten en schapen moeten in de herfst op zoek naar een mannetje of vrouwtje.

Het makkelijkst is het voor dieren die bij mensen wonen in verwarmde huizen en stallen, waar je de verschillen tussen zomer en winter niet erg meer merkt. Honden en koeien en varkens: zij kunnen, net als mensen zelf, gewoon het hele jaar door jongen krijgen.

Vieren dieren in een dierentuin hun verjaardag?

Sommige dieren in een dierentuin krijgen taart en visite als ze jarig zijn, andere dieren krijgen helemaal niks. Voor een verjaardagsfeestje moet een dier jong en schattig zijn, of oud en groot. Nijlpaard Tanja uit Artis bijvoorbeeld kreeg een slagroomtaart en een groentetaart voor haar 46e verjaardag – wat voor een nijlpaard dan ook stokoud is.

Maar als een van de kakkerlakken in het insectarium een jaartje ouder is geworden, krijgt hij geen extra stukje appel. Ook de verjaardagen van zeeanemonen, diamantvisjes en gifkikkertjes worden overgeslagen, als iemand al weet wanneer ze zijn geboren. En vlinders kunnen helemaal geen verjaardag vieren. Zij worden soms niet ouder dan een paar dagen – en om nou telkens een verdagdag te vieren...

Helemaal eerlijk worden de verjaarstraktaties dus niet verdeeld. Maar daar hebben de dieren zelf nog het minste last van. Bij de laatste verjaardagen van schildpad Harriet, die een recordleeftijd van 176 jaar bereikte, stonden in de dierentuin in Brisbane in Australië meer dan honderd mensen langs het hek. Ze zongen haar toe en aten daarna allemaal een stukje van een taart in schildpadvorm. En Harriet? Die scharrelde over haar veldje alsof er niks aan de hand was en at tevreden van haar hibiscusblaadjes – een extra portie, dat wel.

Zo was het ook een beetje op de eerste verjaardag van het kleine olifantje Yindee in Artis. Toen zij en de andere olifanten in Artis de supergrote 'verjaarstaart' zagen die in het zand klaarlag, stampten ze eerst eens lekker op alle appels, witlof, andijvie en bruine broden in die taart. Daarna aten ze de groente tevreden op. De mensen langs het hek vonden dat heel grappig.

Maar een feestje? Daar doen dieren niet aan op de savanne, of in zee. En ook niet op de polen, in de bergen of in de boom-toppen van het oerwoud. En dus ook niet achter de hekken van een dierentuin. Verjaardagen vieren is meer iets voor mensen.

Wat droomt een luiaard?

Het is maar de vraag of een luiaard droomt. Als mensen dromen, lopen hun hersenen allerlei gebeurtenissen nog eens na die ze overdag hebben meegemaakt. Maar ja, wat maakt een luiaard nu mee? Het grootste deel van zijn leven hangt hij ondersteboven aan een tak. Voor de afwisseling zakt hij weleens lekker onderuit in de 'oksel' tussen een boomstam en een tak. Nu en dan kauwt hij op een blaadje dat voor zijn neus hangt. En eens in de tien dagen daalt hij uit zijn boom af om op de grond te poepen. Dat zijn geen gebeurtenissen die spannende dromen opleveren.

Een luiaard slaapt dan ook niet zoals mensen. Een luierende luiaard doet alles op een laag pitje, alsof hij zijn hele leven in een soort winterslaap doorbrengt. Alles in de luiaard is erop gericht om zo min mogelijk energie te verbruiken.

Zijn vingers (twee bij de tweevingerige luiaard en drie bij de drievingerige luiaard) en zijn tenen (altijd drie) zijn veranderd in haken. Die kan hij zonder inspanning dagenlang om een tak slaan.

Spieren heeft hij maar weinig, want die gebruikt hij toch niet vaak: een luiaard heeft twee keer zo weinig spieren als andere zoogdieren.

Tot tienduizend jaar geleden leefde er in het zuidelijkste puntje van Zuid-Amerika een enorme luiaard. Deze reuzenluiaard was veel te zwaar om aan een tak te hangen. Hij woog bijna evenveel als een olifant. We weten niet zeker of hij op de grond net zoveel lag te luieren als de luiaard van nu in de boom. Want er zijn van dit dier alleen maar botten en stukken huid overgebleven.

Luiaards bouwen ook geen nesten of holen voor hun baby's. Een kleine babyluiaard schommelt vijf maanden op zijn moeders buik – tot hij groot genoeg is om zelf te gaan luieren.

Luiaards doen zelfs geen moeite om hun lijf altijd even warm te houden, zoals andere zoogdieren. Als het buiten koud is, koelen luiaards gewoon af. Het is dus maar goed dat ze in de oerwouden van Midden-Amerika leven waar het nooit erg koud wordt. En waar ze ook niet oververhit raken als ze in de schaduw hangen.

Zelfs in de regentijd blijven de luiaards rustig bungelen aan hun tak. De groene algen die dan in hun vacht groeien, gebruiken ze gewoon als handige schutkleur.

Dat zo'n saai en sluimerend leven dromen oplevert, is onwaarschijnlijk. Dromen, denken veel onderzoekers, zijn nodig om de informatie die de hersenen binnenkrijgen een beetje te organiseren. Om de rommel op te ruimen, herinneringen te ordenen en om de hersenen in vorm te houden. Maar als je niets meemaakt, als je dus weinig herinneringen hebt, en maar een heel klein geheugen, dan valt er niks te dromen.

Kan een papegaai zingen?

Niet alle vogels zingen. Mussen tsjilpen, zwaluwen kwetteren, meeuwen krijsen en eenden snateren. Merels en lijsters zingen wel, en op warme lenteavonden hoor je soms de nachtegaal, die volgens sommige mensen het mooiste zingt van allemaal.

Vergeleken bij zulke vogels zijn papegaaien enorme herrieschoppers. Ze krijsen, kwetteren en schreeuwen. Niet alleen in de lente, maar het hele jaar door. En niet alleen in de ochtend, maar van de vroege morgen tot de late avond.

Papegaaien maken dan ook geen kabaal om, zoals een merel of een lijster, het territorium aan te geven waar hun vrouwtje op het nest zit. En ook niet alleen maar om, zoals veel vogels, alarm te slaan of elkaar te begroeten. Papegaaien leven in grote groepen en ze zijn gewoon de hele dag met elkaar in gesprek.

Dat begint al als ze wakker worden. Elke papegaai laat dan met een luide schreeuw weten waar hij zit. Met nog veel meer kabaal maken de papegaaien even later duidelijk dat ze klaar zijn met hun veren poetsen en dat het tijd is om op pad te gaan.

Ze gaan op zoek naar een plek met veel vruchten en noten die ze met hun stevige snavel open kunnen kraken. Wat ze precies roepen weten we natuurlijk niet, maar de hele troep vliegt naar hetzelfde stuk oerwoud en verdwijnt daar tussen de boomtakken.

De rest van de dag zijn ze bezig met eten zoeken. Tussendoor rusten ze af en toe, en als het nodig is verhuist de hele troep naar een ander stuk woud, waar meer eten te vinden is. 's Avonds zoeken ze met zijn allen een plek op waar ze kunnen slapen. En al die tijd kwetteren, roepen en schreeuwen ze.

Dat ze soms keihard krijsen, is niet voor niks. Papegaaien zitten vaak een eind van elkaar vandaan, allemaal in een andere boomtop. En ook al hebben ze fel groene, gele, rode of blauwe veren, tegen de achtergrond van groene bladeren, gekleurde vruchten en soms kleine stukjes blauwe lucht vallen ze dan lang niet altijd op. Ze hebben dus geluid nodig om elkaar te vinden.

Papegaaien kunnen nog iets, wat bijna geen andere vogel kan. Net als wij hebben ze een gespierde tong waarmee ze de geluiden uit hun keel in bepaalde klanken kunnen veranderen. Mensen gebruiken hun tong als ze praten en a's, o's, r'en en andere letters uitspreken. Daarom kunnen papegaaien ook kleine zinnetjes nazeggen in mensentaal: 'goedemorgen', 'tot ziens', 'donder op, zeg'...

Zo kun je een papegaai ook het refrein van een liedje leren. Maar vergeleken bij een merel of een nachtegaal, blijft de papegaai wat zingen betreft toch een beetje een schor geval.

Waarom zijn gifkikkers felgekleurd?

Helblauw, knalrood, goudgeel of appelgroen. En soms al die kleuren tegelijk. De gifkikkers uit Zuid- en Midden-Amerika zijn klein, niet groter dan een koekje, maar ze vallen wel op. Dat doen ze niet zomaar. Zo waarschuwen ze alvast de andere dieren.

Ik ben wel klein, zeggen ze eigenlijk, en ik heb geen klauwen, geen stekels en geen scherpe tanden. Maar toch kun je me maar beter laten lopen. Ik heb namelijk een geheim wapen. Daarom hoef ik me niet te verstoppen. Zie je wel: ik ben ook helemaal niet bang.

Natuurlijk zitten gifkikkers dat niet allemaal zo te beredeneren. Gifkikkers weten gewoon niet beter. Maar het is wel hoe het werkt. De andere dieren, vooral dieren die normaal gesproken wel een kikkertje lusten, vertrouwen het niet helemaal. Nee, ze lopen liever een eindje om.

Daarin hebben die dieren groot gelijk. Want gifkikkers zijn giftig. De ene gifkikker is giftiger dan de ander. Sommige soorten zijn zo giftig dat een klein beetje aan hen snuffelen al genoeg is om een aap dood neer te laten vallen. Een druppeltje huidslijm van de giftigste gifkikker op aarde – die daarom de 'verschrikkelijke' heet – kan zelfs een mens om zeep helpen.

Dat gif maken de gifkikkers bijna nooit zelf. Ze halen het stukje bij beetje uit de insecten die ze eten. Uit mieren en bijen en waarschijnlijk uit nog andere oerwoudbewoners met kriebelpootjes, die wij lang niet allemaal kennen. Zulke insecten maken het gif soms zelf en anders halen ze het uit planten. Net als de insecten en de kikkers gebruiken die planten het gif uit zelfbescherming, zodat dieren hen niet durven te eten omdat ze er anders ziek van worden. Het geheim van de kikkers is vooral dat zij het gif in hun kikkervel, en in het slijm op dat vel, kunnen opsparen tot een dosis die dodelijk is voor grote dieren.

De Choco-indianen in de oerwouden van Colombia weten dat al heel lang. Zij gebruiken het kikkergif als zij een aap, een lekkere leguaan of een flinke vogel uit een hoge boomtop willen schieten. Ze wrijven dan een pijlpunt even langs het kikkervel en schieten de pijl daarna met een blaaspijp omhoog. Als het om een iets minder giftige kikkersoort gaat, wikkelen ze zelfs het hele vel van een geroosterde gifkikker om de pijlpunt.

Maar indianen zijn niet de grootste vijanden van de gifkikkers. Dat zijn de mensen die oerwouden kappen én de handelaars die kikkers vangen om ze te verkopen. Want heel veel mensen willen graag een felgekleurd kikkertje in hun terrarium thuis. Echt gevaarlijk is het houden van gifkikkers niet. Als gifkikkers in zo'n glazen bak alleen nog maar fruitvliegjes en motjes te eten krijgen, verdwijnt het gif vanzelf uit hun vel.

Curare

Is het niet gevaarlijk voor de Choco-indianen om een aap of een leguaan te eten die met kikkergif is neergeschoten? Dat valt wel mee. Het gif is pas gevaarlijk als het direct in het bloed komt. Maar als de indianen zo'n dier eten, komt het gif zo langzaam en in zulke kleine beetjes in hun bloed terecht dat ze er niks van merken.

Waarom heet een wasbeer 'wasbeer'?

Wasberen heten niet wasbeer omdat ze zo schoon zijn op zichzelf. Ze heten ook niet wasbeer omdat ze beren zijn. Kijk maar naar hun staart. Bruine beren en ijsberen hebben een effen knoedeltje, maar de pluimstaart van wasberen is zwierig en zwart-wit gestreept. Wasberen horen bij een andere familie, de 'familie van de kleine beren' die zelf weer onder de marterachtigen valt.

Dat wasberen toch wasbeer heten, komt misschien doordat ze vaak bij beken en meren rondscharrelen. Met hun voorpoten wroeten ze in de modder en zoeken ze naar garnaaltjes, mosselen of kikkers. Voordat ze die oppeuzelen, kneden ze hun buit eerst in het water zodat stukjes schelp en schaal of botjes wegspoelen. Wasberen zijn dus eigenlijk afwasberen.

Ook de stukjes appel en wortel die ze in de dierentuin krijgen, spoelen wasberen vaak in water af. En als ze niks te eten vinden, houden ze zelfs kiezelsteentjes en scherfjes in de waterstroom. Zo kunnen ze zichzelf uren bezighouden. Zolang ze maar niet te ver in het water hoeven, want daar houden wasberen helemaal niet van. Pootjebaden vinden ze meer dan genoeg.

Erg vies worden de wasberen toch niet langs het water. En ook niet in het bos, waar ze graag slapen in een holle boom. Maar wasberen leven niet alleen in de natuur. In Amerika, waar ze vandaan komen, zijn veel wasberen naar de stad getrokken. Ze leven er van vuilnis en slapen in schuurtjes, riolen of soms zelfs in een schoorsteen.

Veel van die wasberen zouden wel een wasbeurt kunnen gebruiken. En veel Amerikanen hebben een hekel aan die wasberen. Daarom wordt er daar elk jaar veel op ze gejaagd.

Gelukkig kunnen sommige wasberen dan op tijd in een boom klimmen. Dat is meestal een veilige plaats omdat ze met hun schutkleur tegen de boombast haast niet opvallen.

In Europa komen nu ook wasberen voor. De eerste wasberen werden hier veertig jaar geleden naartoe gebracht, speciaal voor de bontfokkerij. Sommige mensen vinden het namelijk fijn om een jas van zachte wasbeervacht om hun schouders te hangen. Een paar van die wasberen konden gelukkig nog op tijd ontsnappen. Hun achterkleinkinderen wonen in landen als Denemarken, Frankrijk, Duitsland en Polen. Ook in Nederland duiken steeds vaker wasberen in het wild op. Maar wasbeerjagers zijn hier nog niet.

Is een zeepaard een vis?

Ja, een zeepaard is een vis. Dat zou je niet zeggen als je hem zo ziet. Een zeepaard heeft geen schubben en geen vissenstaart. Hij lijkt eigenlijk op geen enkel ander dier in zee. Je zou bijna denken dat een zeepaard uit een andere wereld komt en per ongeluk hier in het water is gevallen.

Een zeepaard lijkt wel op allerlei dieren die op het land leven. Zijn kop heeft de vorm van een paardenhoofd. Met zijn krulstaart haakt hij zich aan waterplanten als een slingeraap aan een boomtak. Zijn vel kan van kleur veranderen alsof hij een kameleon is. De stekels op zijn rug lijken op die van sommige dinosauriërs. Net zoals zijn dikke huid, die hard is als een pantser. En hij kan zijn ogen los van elkaar heen en weer bewegen als een hagedis: zo kan hij met zijn linkeroog naar boven kijken en met zijn rechteroog naar beneden, of omgekeerd.

Het vreemdst aan zeepaarden is hun buidel. Ze lijken wel zwemmende kangoeroes. Maar er is één belangrijk verschil: bij de kangoeroes draagt het vrouwtje een buidel, bij de zeepaarden is dat het mannetje.

In die buidel broedt een zeepaardenman wel twee- tot driehonderd eitjes uit. Die heeft het vrouwtje daarin gelegd door heel dicht tegen hem aan te kruipen, terwijl ze haar staart in zijn staart krulde. In de buik van het mannetje zijn er daarna zaadjes bij gekomen. En uit die met zaadjes samengesmolten eitjes groeien

Zeenaald

Het zeepaard heeft nog een bijzonder familielid, dat ook niet erg op andere vissen lijkt. Als je de krul uit de staart van een zeepaard zou halen, zijn kop recht omhoog zou laten wijzen en zijn hele lijf nog eens zou gladstrijken, dan zou je zien hoe dit familielid eruitziet: als een zeenaald, en zo heet hij dan ook.

---

kleine zeepaardjes. Wanneer het 'zwangere' mannetje na twee weken zijn buidel samentrekt, floepen ze allemaal naar buiten en zwemmen de wijde zee in.

Als het mannetje goed kan broeden, maken vrouwtjes soms ruzie om hem. Ze willen hem allemaal wel hebben! Maar meestal blijven een mannetje en een vrouwtje hun hele leven samen. Met andere zeepaardjes zwemmen ze zo door zee. Statig en stram, want zeepaardjes hebben geen soepel lijf om snelle bochten mee te maken en geen stevige staart om mee te sturen.

Waarom zijn zeepaardjes dan eigenlijk vissen? Omdat ze, net als vissen, koudbloedig zijn. Omdat ze, net als vissen, van binnen wervels en graten hebben. Maar vooral omdat ze, net als vissen, een rugvinnetje en twee gewone vinnetjes hebben. En kieuwen bovendien.

Missen roofdieren in de dierentuin de jacht?

Je zou dat eigenlijk aan de roofdieren zelf moeten vragen. Het lijkt er in elk geval niet op dat leeuwen, tijgers, luipaarden en jaguars in de dierentuin de jacht erg missen.

In het wild zijn ze namelijk helemaal niet zo dol op jagen.

Dierenfilms laten wel vaak beelden zien van luipaarden die op de savanne een antilope vangen, of van leeuwen die een zebra verscheuren, maar in werkelijkheid liggen deze grote katten liever te soezen.

Als leeuwen een over de kop geslagen dier zien liggen, dan stoppen ze meteen met verder rennen en jagen. Waarom moeilijk doen als het makkelijk kan? Ze zullen ook altijd kijken of ze niet snel en makkelijk een prooi kunnen afpakken van een luipaard of van een eenzame hyena.

Wat veel roofdieren waarschijnlijk meer missen, is het verdelen van de buit. Een leeuw die een gnoe heeft gevangen, laat andere leeuwen niet zomaar mee-eten. En ook hyena's eten hun prooi op volgens strenge regels. De leiders beginnen, daarna mogen de lager geplaatste mannetjes wat eten en dan pas de vrouwtjes en de jongen. Zo zorgt de gezamenlijke maaltijd ervoor dat iedereen zijn plek in de groep kent.

Luie man

Leeuwen zijn groter en sterker dan leeuwinnen. Maar als het tijd is om te jagen, blijven leeuwen liever slapen. Ze laten dat karwei aan de leeuwinnen over. Pas als de leeuwinnen een dier hebben gevangen en gedood, komt de leeuw in actie. Hij jaagt de leeuwinnen weg en begint als eerste te eten.

Voor luipaarden, poema's, jaguars en tijgers, die niet in een groep leven en juist in hun eentje jagen, is het uit elkaar trekken van de prooi belangrijk. Dat is hard werken en houdt ze een tijdlang bezig.

Als je luipaarden, poema's, leeuwen en hyena's dus zou vragen wat ze misten, zouden ze waarschijnlijk zeggen dat ze liever een hele geit zouden krijgen, dan de afgepaste hompen vlees die de verzorgers nu geven. Maar ja, of de bezoekers van de dierentuin dat een leuk gezicht zouden vinden?

Waarom heeft een struisvogel zo'n kleine kop?

Zijn struisvogels misschien dom? In een kleine kop passen maar weinig hersens. En bij struisvogels nemen de ogen ook nog eens de meeste ruimte in. Struisvogels hebben de grootste ogen van alle landdieren: hun oogbollen zijn bijna vijf centimeter dik.

Je zou denken dat er niet veel meer bij kan in hun kop. Maar de koppen van struisvogels zijn niet overdreven klein. Dat zie je als je de kale schedel van een uil of een andere vogel ernaast legt. Het verschil zit vooral aan de buitenkant: struisvogels hebben weinig veren op hun kop. Die paar veren op hun kop zijn bovendien flodderig en donzig. Struisvogels hebben aparte veren. De veren van andere vogels zijn stevig en glad. Dat komt doordat alle losse haartjes in die veren in elkaar haken, alsof ze samen een stukje doek vormen. Maar de losse haartjes in struisvogelveren fladderen alle kanten op. Daarom staan struisvogelveren ook niet stevig en bol om hun kop heen zoals bij andere vogels.

Daar komt nog bij dat een kalige struisvogelkop een beetje in het niet valt bij hun lange poten en hun lange nek. Een volwassen struisvogel is van top tot teen soms wel twee en een halve meter!

Voor struisvogels zelf is dat wel handig: met hun superscherpe ogen en hun lange nekken zijn het net wandelende uitkijkposten. Ook de zebra's en antilopen op de savanne in Afrika vinden het fijn om struisvogels in hun buurt te hebben. Struisvogels zien roofzuchtige hyena's of arenden vaak als eerste en slaan dan met een schorre schreeuw alarm.

Struisvogels hebben niet alleen de grootste ogen van alle landdieren, ze leggen ook de grootste eieren. In één struisvogelei passen 25 kippeneieren. Struisvogelmannen hebben meestal drie vrouwen en de belangrijkste daarvan legt haar eieren het eerst. De andere twee leggen er dan nog een paar bij en zo komen er wel vijftien tot zestig van die grote eieren in een nest op de grond te liggen. Als de jongen er na 42 dagen met veel gewurm uitkruipen, worden ze opgevoed door verschillende ouders in een grote groep – een soort crèche. Lang niet allemaal worden ze groot, want er liggen overal roofdieren op de loer. Maar als alles meezit, kan een struisvogel honderdvijftig kilo zwaar worden en vijftig jaar oud.

Steken struisvogels zelf daarna hun kop in het zand? Alsof ze denken: als ik jou niet zie, zie jij mij ook niet? Dat wordt weleens gezegd, maar zo ontzettend dom zijn struisvogels echt niet. Wel gaan ze soms op de grond liggen, met hun nek plat voor zich uit gestrekt. Dat doen ze om hun vijanden te foppen, want uit de verte lijken ze zo precies op een steen.

Als een vijand daar niet intrapt, rennen struisvogels er gewoon keihard vandoor. Met hun sterke poten kunnen ze snelheden van soms wel zeventig kilometer per uur bereiken. Vliegen kunnen struisvogels niet, want daarvoor zijn ze te zwaar en hebben ze de verkeerde veren.

Als het moet delen struisvogels gemeen harde schoppen uit. Zelfs leeuwen zijn bang voor sterke struisvogelpoten, vooral omdat een van de twee struisvogeltenen hard en hoornachtig is als een hoef. Sterk zijn struisvogels dus zeker. En oerdom zijn ze beslist niet.

Hoe slaapt een vis?

Vissen slapen helemaal niet! Zeeën, sloten en meren zitten vol vijanden. Vissen kunnen dus hun ogen maar beter openhouden. Ze kunnen trouwens ook niet anders, want vissen hebben geen oogleden die als gordijntjes voor hun ogen kunnen zakken. Vissen hebben alleen een knipvlies. Zo nu en dan glijdt dat even voor hun ogen langs en veegt die als een ruitenwisser schoon. Maar zelfs door het knipvlies heen zien vissen de zee of de sloot als door een matglazen ruit.

Vissen hebben natuurlijk wel rust nodig. Die krijgen ze door zo nu en dan erg sloom te worden. Grote haaien en kleine haringen zwemmen dan heel kalmpjes rond. Forellen hangen zo stil als een steen in stromend water. Diamantvisjes schuilen tussen de scherpe stekels van zee-egels, en anemoonvissen kruipen tussen de uitwaaierende armen van giftige anemonen.

Eén ding doen die rustende vissen haast nooit, zelfs niet als de buurt veilig is. Dat is lui uitgestrekt op de bodem of op een rots gaan liggen. Of lekker op hun zij rollen.

De meeste vissen zouden stikken als ze dat doen. Dat komt doordat ze hun zuurstof uit water halen met de kieuwbladen in hun kieuwen. En om dat goed te doen, moet er voortdurend vers water door hun kieuwen stromen.

Vissen hebben daarvoor een slim systeem. Hun bek en de deksels op hun kieuwen gaan om beurten open en dicht. Eerst gaat

Plat

Platvissen zoals de schol en de schar kunnen zich wel op de bodem uitstrekken om te rusten of om, vermomd als een laagje zand, te loeren. Zij zitten zo in elkaar dat ze er geen last van hebben als één kieuwdeksel een tijdje dichtzit. En zij kunnen iets heel goed wat de meeste vissen niet kunnen: water ophappen. Zo kunnen ze ook als ze stil liggen genoeg water binnenkrijgen.

Snel

Haaien hebben geen kieuwdeksels. Het water stroomt hun kieuwen uit door een spleet. Maar ook de meeste haaiensoorten moeten blijven zwemmen om genoeg zuurstof te krijgen.

hun bek open om water binnen te laten. Wanneer hun bek daarna weer dichtgaat, drukt al dat water de kieuwdeksels open. Zo loopt het 'verbruikte' water de kieuwen weer uit en is er ruimte voor een nieuwe lading vers water vol zuurstof.

Maar dat systeem werkt alleen als de vis zwemt of in een snelle stroom hangt. Als vissen gaan liggen, kunnen hun kieuwdeksels niet goed meer openklappen. Bovendien stroomt er dan te weinig water hun bek in, en krijgen ze het benauwd.

Daarom rusten ze 'rechtop' en staan hun vinnen nooit stil. En daarom slapen ze nooit echt. Vissen die rusten, doen alles gewoon op een laag pitje. Ze springen niet, ze jagen niet en ze duiken niet. Tot er gevaar dreigt of er een erg lekker hapje langs zwemt: dan komen ze meteen in actie.

Waarom vlooien apen elkaar?

Apen vlooien elkaar niet omdat ze vlooien hebben. Gezonde apen hebben geen vlooien. Als een aap wel vlooien heeft, is dat meestal een teken dat hij niet fit is.

Toch gaat een aap soms pal voor een andere aap zitten. Dan doet hij net of hij niet goed bij dat plekje op zijn rug kan komen. Dat plekje waar hij zo'n jeuk heeft en waar hij zich nou eens lekker wil krabben. Dat is zijn manier om te vragen: 'Wil je me vlooien?'

Gevlooid worden is nuttig. Want bij het vlooien worden harde vlokjes haar weggehaald, schilfertjes en korstjes weggekrabd, en wordt zo nu en dan een teek uitgetrokken. Zo worden de vacht en de huid weer helemaal schoon en in orde gemaakt.

Gevlooid worden is ook fijn. Het is lekker als er aan je gefrunnikt wordt. Vooral chimpanseemannetjes maken er soms een hele show van. Met allemaal gebaren wijzen ze plekjes aan die niet overgeslagen mogen worden. Zoals mensen ook weleens doen als een ander ze op de rug kriebelt: 'Een beetje naar boven. Ja, hoger. Iets naar links nu.'

Maar vlooien is vooral iets delen met een andere aap. Want een aap vlooit niet zomaar de eerste de beste voorbijganger. En hij laat ook niet Jan en alleman aan zijn eigen vacht frunniken. Vlooien is een manier om kennis te maken, vrienden te worden of ruzie bij te leggen.

De leider van de groep wordt het vaakst gekieteld van allemaal. De meeste apen in de groep zijn verstandig genoeg om te weten dat je beter maar vrienden kunt zijn met de baas. En vriend van de baas word je door aardig voor hem te zijn. Of door in elk geval te doen alsof je hem aardig vindt: door hem nu en dan te vlooien dus.

'Je hoeft niet bang meer van me te zijn. Je mag aan me frunniken,' bedoelt de grote aap als hij met vlooien een ruzie probeert goed te maken.

'Stil maar,' bedoelt de apenmoeder die een zenuwachtig apenkind vlooit.

'Hé, hoe gaat het met jou?' willen twee apen zeggen die elkaar een tijdje niet hebben gezien en die nu gezellig even vlooien. En twee apen die elkaar nog niet kennen, leggen door het vlooien contact. 'Je lijkt me aardig. Mag ik aan je haren plukken?'

Vlooien is een goed middel om het leven op de apenrots soepel te laten verlopen. Het zorgt ervoor dat apen zich thuis voelen bij de andere apen. Dat ze elkaar, in elk geval een beetje, vertrouwen. Dat ze elkaar daardoor ook helpen als het nodig is. En dat ze hun plaats in de groep kennen.

Op een iets andere manier vlooien mensen ook. Als je een ruzie met een klasgenoot goedmaakt door Smarties met hem te delen. Als je met zijn tweeën bij het schoolpleinhek gewoon een beetje staat te smoezen. Of als je de hele middag sms'jes naar vrienden stuurt. Dan ben je met net zoiets bezig als vlooiende apen: dan probeer je iets goed te maken, vrienden te worden of in elk geval om een plek tussen de andere mensen te hebben.

Zijn uilen nooit eenzaam?

Uilen voelen zich niet gauw eenzaam. Ze zitten anders in elkaar dan groepsdieren zoals spreeuwen, meeuwen en mussen. Uilen houden niet van gekrijs en gekwetter, van geruzie en geflikflooi of van uitsloverij en onderdanigheid. Uilen vinden het fijn om alleen te zijn.

Misschien houden uilen ook niet van herrie omdat ze zo'n ontzettend goed gehoor hebben. Bij sommige soorten zit het linkeroor iets hoger of lager op de kop dan het rechteroor. En soms zijn de twee oren zelfs iets anders van vorm. Dat zijn trucjes waarmee uilen heel precies kunnen bepalen waar een geluid vandaan komt.

Zo kunnen uilen zelfs in het aardedonker een zacht ritselend muisje vangen. Dat arme muisje zelf heeft meestal niet in de gaten dat er een uil aan komt wieken, want uilen bewegen hun vleugels bijna zonder geluid te maken.

Ook hun scherpe klauwen en hun haaksnavel helpen uilen bij het jagen. Net als de twee grote scherpe ogen voor op hun kop. Daarmee kunnen ze de kleinste lichtstraaltjes opvangen en heel goed afstanden schatten.

En ook dat jagen doen uilen in hun eentje, meestal 's nachts. Overdag schuilen ze in oude schuren of kerktorens, ze zoeken een holle boom op, kruipen onder een struik of verstoppen zich in

Op de hele wereld leven 177 uilensoorten. In Nederland vind je er acht: de kerkuil, de ransuil, de bosuil, de velduil, de steenuil, de oehoe, de ruigpootuil en de sneeuwuil (de uil van Harry Potter). De kleinste uil op aarde is de dwerguil; hij is ongeveer net zo lang als een potlood.
De oehoe is de grootste uil ter wereld. Als hij in een huiskamer zou staan, zou zijn kop tot de tafelrand komen. En als hij zijn vleugels strekt, past er een mens tussen zijn vleugeltoppen.

---

een spleet tussen de rotsen. Daar laten ze hun ogen dichtvallen en dommelen ze de dag door; roesten heet dat.

Pas in de schemering komen uilen weer tot leven. Dan maakt hun droevig klinkende gekrijs mensen soms bang. Maar eigenlijk waarschuwen ze zo alleen maar dat andere uilen niet op hun jachtterrein moeten komen. En in bepaalde jaargetijden – in Nederland bijvoorbeeld aan het einde van de winter – roepen mannetjes en vrouwtjes naar elkaar.

Want uilen zijn niet het héle jaar alleen: als een mannetje en een vrouwtje elkaar hebben gevonden en een klein begroetingsdansje hebben gemaakt, blijven zelfs uilen een tijdje samenwonen. Eerst broedt het vrouwtje de eieren uit, terwijl het mannetje voor haar jaagt. Daarna let zij op de uilskuikens terwijl het mannetje voor de hele familie muizen en kikkers vangt. En pas als de kleine uiltjes sterk genoeg zijn om te vliegen (na zes weken of soms na zes maanden), gaan alle uilen van de familie weer hun eigen weg.

Tot het jaar daarna: dan zoeken hetzelfde mannetje en hetzelfde vrouwtje elkaar weer op. En gaan hun kinderen zelf op zoek naar de uil van hun leven.

Breken giraffes weleens hun nek?

In de dierentuin is het voor zover bekend nog nooit gebeurd. Maar op de savanne zal het best weleens zijn voorgekomen dat een dravende giraffe over de kop sloeg en zijn nek brak. Een giraffe kan wel zestig kilometer per uur lopen. En zo'n lange nek is wel handig om blaadjes uit de boomtoppen te rissen, maar heel harde klappen kunnen de nekwervels in een giraffehals niet opvangen.

Je zou denken dat in die lange nek ook een lange rij met nekwervels zit, net als ooit bij sommige dinosauriërs. Maar een giraffe heeft evenveel nekwervels als alle andere zoogdieren. Evenveel dus als een mens of een muis: zeven. De nekwervels van een giraffe zijn wel veel groter en dikker dan die van een mens. Eén giraffewervel zou de nek van een mens helemaal opvullen.

Die wervels zorgen er niet alleen voor dat de nek stevig en toch buigzaam is. Ze liggen samen met de wervels in de rug ook als een dikke buis om het ruggenmerg heen. Dat ruggenmerg moet goed beschermd worden, want het brengt boodschappen van de giraffehersenen naar de poten, de staart en alle andere plekken in het lijf. Als een giraffe zijn poot op wil tillen of zijn staart wil laten zwiepen, geven de zenuwen in het ruggenmerg de signaaltjes daarvoor aan de poot of de staart door.

Bij andere zoogdieren gaat dat net zo, en bij mensen dus ook. Alleen zijn de signaaltjes in de twee meter lange giraffenek ietsje langer onderweg. Gelukkig gaan ze zo snel dat een giraffe van het beetje vertraging geen last heeft.

Door een giraffenek wordt nog meer vervoerd. Door de slokdarm bijvoorbeeld. Die buis brengt de boomblaadjes van de bek
van de giraffe naar de eerste maag. Net als een koe of een schaap
heeft een giraffe namelijk vier magen. En net als andere dieren
met vier magen herkauwt een giraffe de boomblaadjes nadat ze
een tijdje in de eerste maag hebben gezeten. Al het eten gaat
dus niet alleen naar beneden door de slokdarm, het moet ook
weer naar boven! Daarom is de slokdarm van een giraffe enorm
gespierd. Alleen zo kan hij het eten weer omhoog persen.

Een giraffe heeft natuurlijk ook een sterk hart om het bloed
omhoog te pompen naar zijn kop. Bovendien zitten in de bloedvaten in een giraffenek kleine klepjes. Als hij rechtop staat, zorgen
die ervoor dat het bloed niet vanaf zijn kop naar beneden klettert
door zijn bloedvaten. En als hij zich vooroverbuigt, zorgen ze ervoor dat er niet te veel bloed naar zijn kop toe stroomt. Daarom
krijgt een giraffe die voorovergebogen water drinkt, toch geen
rode kop.

Zijn mannetjesdieren altijd mooier?

Mannetjesdieren zijn vaak mooier dan de vrouwtjes. Neem de hertenbokken met hun grote gewei, de leeuwen met hun lange manen en de pauwenmannen met hun enorme staart. En er zijn nog veel meer dieren waarbij de mannetjes fellere kleuren hebben, langere staarten, grotere hoorns, bulten op hun kop of andere versiersels.

Allemaal aandachttrekkerij is dat. Wat heb je nou verder aan felle kleuren die de aandacht van je vijanden trekken? Aan een staart die achter je aan sleept zodat lopen lastig is en vliegen bijna onmogelijk? Aan een gewei dat in de struiken blijft haken? Aan manen waar vuil in gaat zitten? En dan kost het groeien en dragen van al die versiersels ook nog extra energie.

Maar mannetjesdieren hebben dat er graag voor over. Ze willen zo juist laten zie dat ze veel energie hebben en dat ze dus sterk zijn en gezond. 'Val mij niet aan, en kom niet op mijn terrein want ik ben goed in vechten', zeggen ze eigenlijk tegen andere mannetjes. En tegen vrouwtjes zeggen ze: 'Kies mij om mee te paren. Dan krijg je kinderen die net zo mooi en sterk en gezond zijn als ik.'

Vrouwtjesdieren letten daar op. Zelf doen ze meestal niet aan zulke fratsen als kleuren, pluimen en uitsteeksels. Ze stoppen hun energie liever in het leggen van eieren met dooiers vol voedsel

voor de kuikens. Of in de jongen die ze in hun buik laten groeien
en die ze daarna voeden met melk. En vaak steken ze veel energie
in het bouwen van een nest en het inrichten van een hol, waarbij
ze juist beter niet kunnen opvallen. Maar als vader kiezen de
vrouwtjes wel een mooi (en dus gezond) mannetje uit: het is
zonde om energie te steken in jongen die te zwak zijn om groot
te worden.

Vooral bij veel zoogdieren is het belangrijkste verschil dat
mannetjes groter en sterker zijn dan vrouwtjes. De sterkste mannetjes, die het beste vechten, veroveren het grootste territorium.
Vrouwtjes willen daar graag wonen, omdat in zo'n groot gebied
lekker veel eten te vinden is. Zo krijgen de sterkste mannetjes de
meeste vrouwtjes en de meeste kinderen.

Maar er zijn ook soorten waarbij de mannetjes en de vrouwtjes
er ongeveer hetzelfde uitzien. Bij die soorten voeden de mannetjes
en de vrouwtjes hun jongen samen op en vaak blijven ze hun hele
leven bij elkaar. Dat is zo bij ganzen bijvoorbeeld, of bij vinvissen,
gibbons, eksters, bevers en pinguïns. Toch sloven zelfs de mannetjes van deze soorten zich, als het tijd wordt om te paren, een
beetje uit. Want niet alleen hun eigen vrouw, maar ook de andere
vrouwtjes mogen best zien hoe fit ze zijn.

Wat ziet een bij?

Als een bij kon vertellen wat hij zag, dan zou je merken dat de wereld van een bij in de verste verte niet op onze wereld lijkt. Om te beginnen heeft een bij vijf ogen in plaats van twee zoals de meeste dieren. Drie daarvan zitten bovenop zijn kop en meten alleen maar of het lichter wordt of donkerder. Zo merkt de bij wanneer de avond valt of de dag begint. En zo weet de bij of hij in de bijenkorf (of een bloem) kruipt of juist eruit.

De twee andere ogen zitten als langgerekte bollen aan de zijkanten van zijn kop. Daarmee ziet de bij de vormen, de kleuren en de bewegingen in de wereld. Die wereld is bij de bij opgebouwd uit allemaal kleine stukjes, zoals in een mozaïek. Dat komt doordat een bijenoog bestaat uit bijna zevenduizend kleine 'ogen'. Elk daarvan ziet een piepklein deel van de omgeving. Maar omdat al die zeshoekige oogjes dicht op elkaar zijn gepakt, geven ze samen toch een compleet beeld.

Doordat zijn ogen bol zijn, heeft de bij zelfs een bredere blik dan de mens. De bij ziet niet alleen wat zich recht voor hem afspeelt. Met de zijkanten van zijn bolle ogen ziet hij ook de bijen die achter hem vliegen, de paarse lucht boven hem, en de zwarte klaprozen beneden.

Paarse lucht? Zwarte klaprozen? Ja, want de wereld van de bij heeft andere kleuren dan de onze. Mensenogen zien rood, oranje, geel, groen, blauw, een beetje paars en alle mengelingen daarvan. Bijenogen zien geen rood. Ze zien geelgroen, groen, blauw, veel paars en ultraviolet, een kleur die voor mensenogen juist onzichtbaar is.

Daarom ziet de wereld er voor bijen heel anders uit. Met klaprozen die niet rood zijn, maar zwartig. Met een lucht die niet blauw is, maar paars en ultraviolet. En met bloemen die niet geel zijn of wit, maar die ultraviolet oplichten.

En er is nog een verschil. Bijenogen kunnen veel beter bewegingen waarnemen dan mensen. Mensenogen hebben steeds even tijd nodig om te verwerken wat zij zien. Wat er in de tussentijd gebeurt, vullen de hersenen van een mens zelf in. Daarom zien wij in de bioscoop filmsterren vloeiend praten en bewegen, terwijl er eigenlijk elke seconde 16 of 25 losse beeldjes voorbijschieten. Bijen zouden in de bioscoop niks vloeiends waarnemen: zij zouden gewoon losse foto's voorbij zien komen waarop armen en benen steeds iets van plaats veranderen en waarop monden in een andere stand springen. En daartussen gebeurt, in bijenogen, telkens even niks.

In de echte wereld gebeurt tussendoor natuurlijk van alles. En een bij ziet dat. Als een bij met 23 kilometer per uur over weilanden vliegt, ziet hij veel preciezer dan een mens hoe de grassprieten en bloemstelen wiegelen, knikken en zwabberen. Dat is handig als je op een bloem moet landen om nectar te halen.

Een laatste verschil is dat bijenogen heel precies kunnen vaststellen uit welke richting lichtstralen komen. Zo zien bijen waar de zon staat, zelfs als het bewolkt is. En zo vinden ze, met de zon als richtingwijzer en paarsviolette bloemen als herkenningspunten, altijd weer de weg naar huis.

Waarvan is de hoorn van een neushoorn gemaakt?

De neushoorn loopt al verschrikkelijk lang op deze wereld rond. Zestig miljoen jaar geleden waren er al neushoorns. Nu zijn er van de 165 neushoornsoorten uit die oertijd nog vijf over: de witte en de zwarte neushoorns in Afrika, en nog drie kleinere soorten op Java, Sumatra en in India.

Op die overgebleven soorten wordt jammer genoeg nog steeds gejaagd, omdat de hoorn van de neushoorn veel geld waard is. Er zijn namelijk ook nu nog mensen die er graag een handvat voor een dolk van maken, of die denken dat het poeder van een gemalen hoorn een bijzonder medicijn is.

Dat is grote onzin. Je zou net zo goed je nagels kunnen knippen en ze tot poeder vermalen. Nagels zijn van dezelfde soort stof gemaakt als de hoorn van de neushoorn. Die stof, keratine, maakt trouwens ook haren stevig. En hij zorgt ervoor dat de tenen van paarden en andere hoefdieren in stevige hoeven veranderen.

De witte en de zwarte neushoorns hebben twee hoorns van keratine op hun neus. Joekels van hoorns zijn dat, waarvan de voorste meer dan een meter lang kan worden, en die elk jaar zeven centimeter aangroeien. Dat moet ook, want de hoorns slijten als een neushoorn langs de struiken struint op zoek naar blaadjes. Of als hij een modderbad neemt om zo zijn dikke huid tegen de zon te beschermen.

Waarom heeft deze goeiige dikzak die alleen maar gras en blaadjes eet, eigenlijk zulke grote hoorns? Dat is om indruk te maken en om vijanden af te schrikken. Een zwarte neushoorn kan 3000 kilo zwaar worden, een witte neushoorn zelfs 3600 kilo – alleen olifanten zijn zwaarder. En als zo'n briesende locomotief

Neushoorns hebben een dikke huid. Bij dieren van hun grootte hoort eigenlijk een vel van vier millimeter. Maar de huid van neushoorns is meer dan zes keer zo dik: 2,5 centimeter, zo dik als een dubbele boterham met kaas. Toch is die dikke huid heel gevoelig. Daarom nemen neushoorns graag een stofbad of een modderbad. Modder en stof beschermen hen tegen zonnebrand en tegen insecten die hun huid willen doorboren. Ossenpikkers, slimme vogels, helpen de neushoorns. Zij liften mee op hun rug en pikken die insecten op. Zo hebben ossenpikkers te eten en neushoorns een gezond vel.

met hoorns vooruit en met vijftig kilometer per uur aan komt stormen, dan springen zelfs leeuwen liever opzij.

De neushoorn zelf is zo kippig dat hij op afstanden van meer dan tien meter niet langer het verschil ziet tussen een leeuw of een struik. Om andere neushoorns op te zoeken, die verderop leven, gaat een neushoorn daarom zijn neus achterna. De geur van neushoorndrollen vertelt hem of hij nog op zijn eigen terrein is, of al in het gebied van zijn buurman of buurvrouw. Die hem dan misschien met een dreun van zijn of haar hoorns weer wegjaagt.

Maar zolang neushoorns hun neus goed gebruiken, hebben ze verder met hun reusachtige lijf niets te vrezen. Behalve van een mens dan, want grote hoorns en veel kilo's helpen niet tegen geweren.

Wat ziet een olifant in een spiegel?

Een olifant die in een spiegel kijkt, ziet zichzelf. En dat is bijzonder, want de meeste dieren denken dat er een soortgenoot voor hen staat. Zo wil een pauw die voor een spiegel staat, die uitslover tegenover hem meteen aanvliegen. Een jong katje kijkt achter de spiegel of zij met dat vrolijke dier tegenover haar kan stoeien. En een koe loopt haar spiegelbeeld juist onverschillig voorbij. Begrijpen deze dieren dan niet hoe een spiegel werkt? En begrijpen olifanten dat wel?

Biologen denken dat het anders zit. De meeste dieren begrijpen 'zichzelf' niet, denken ze. Een pauw heeft niet in de gaten dat hij net zo pronkt met zijn staart en wiebelt met zijn kop als andere pauwen. Een katje heeft niet door dat zijzelf net zo'n vrolijk rondspringend dier is als andere katjes. En het laat een koe niet alleen koud dat haar spiegelbeeld zo onverschillig kijkt, ze heeft geen idee dat zij er zelf net zo bij loopt.

Maar als je niet weet hoe je erbij loopt, kun je je spiegelbeeld ook niet aan jezelf koppelen. Als deze dieren in een spiegel kijken, zien ze daarom een ander.

En olifanten? Toen in New York een stel olifanten voor een reusachtige spiegel werden gezet, gingen ze eerst die spiegel van voor en achter bekijken. Daarna werden ze niet boos en liepen ze niet weg, maar begonnen ze voor de spiegel allemaal bewegingen te maken. Stapje naar links, stapje naar rechts – en intussen bekeken ze zichzelf uitgebreid. Ze deden hun bek open en dicht en bestudeerden hoe dat eruitzag. Ze aten hooi voor de spiegel en namen zichzelf intussen aandachtig op.

Er was nog iets: het witte kruis dat de onderzoekers boven het rechteroog van de olifanten hadden geverfd. Toen een van de olifanten dat kruis zag, raakte ze het met haar slurf telkens aan. Alsof ze het wilde wegvegen. Dat betekent, beweren de onderzoekers, dat olifanten snappen dat die kop in de spiegel hun eigen kop is.

Maar niet iedereen is het daarmee eens. Als je bijvoorbeeld iemand ziet met chocola rond zijn mond, voel je vaak zonder erbij na te denken ook of er aan je eigen mond geen vegen zitten. En misschien, zeggen sommige mensen daarom, is dat gewoon wel wat er met die olifant aan de hand was.

Maar de onderzoekers denken dat olifanten zichzelf wel (her)kennen. De olifant wreef zo lang over de witte plek, zeggen zij, en alle olifanten keken zo lang en aandachtig naar hun spiegelbeeld...

Olifanten zijn in elk geval niet de enige dieren die zichzelf blijkbaar in de spiegel herkennen. Ook chimpansees en dolfijnen doen dat. En mensen natuurlijk: sommige mensen krijgen er bijna geen genoeg van.

Lusten dieren koffie?

Je zult niet gauw een kameel tegenkomen achter een koffiepot. Of een leeuw met een schattig serviesje. Je hoort weleens dat mensen hun hond of kat voor de gezelligheid wat koffie met melk geven. Echt kwaad kan dat niet: van koffie worden dieren niet snel ziek. Maar een hond of een kat zou natuurlijk liever water en een stukje vlees of vis krijgen.

Dieren doe je het meeste plezier door ze te laten leven zoals ze in de natuur zouden leven. En door ze dus ook het eten te geven dat bij ze past. Vers vlees voor de vleeseters met hun scherpe snij-tanden en met hun hoektanden die kunnen doden. Hooi en gras voor de herkauwers met hun platte kiezen die zo goed kunnen malen. Wortels en takken voor de knaagdieren met hun lange tanden. Vruchten voor sommige vleermuizen. Nectar voor de vlinders.

In de dierentuin lukt dat niet altijd. Je kunt een ijsbeer niet zomaar spekkige zeehonden voeren, of een antilope bij de leeuwen neerzetten en een schildpad bij de krokodillen. En de tropische waterplanten die zeekoeien eten, of de noten die papegaaien in het oerwoud kraken, zijn in Nederland lang niet altijd te vinden.

Wat wel kan is de dieren eten geven waarin zo veel mogelijk de voedingsstoffen zitten die ze in het wild ook binnenkrijgen. En dan een beetje minder. Want in hun veilige en warme hokken in de dierentuin verbruiken beesten minder energie.

Bij elkaar gaat het dan nog steeds om ontzettend veel eten. In een dierentuin als Artis met negenduizend dieren (van zevenhonderd soorten) rijden elke week karren vol groente, vis, vlees en hooi naar binnen. In één week eten de dieren daar 1100 kilo appels, sinaasappels en bananen, 700 broden, bijna 2000 kilo andijvie en wortels, 1500 krekels en sprinkhanen, 115 balen hooi, 350 kilo haring en nog eens bijna 1000 kilo andere vis. Ze eten elke week 850 kilo vlees met botten, 115 ratten en bijna 2000 muizen. Ze lusten algenpap en er staan inktvissen op het menu, kreeften, zeepieren, muggen, wormen (2000 per week), mosselen, gamba's, watervlooien, cashewnoten en zo kun je nog wel even doorgaan...

Als je in Artis in de keuken zou gaan kijken, zou je bovendien allerlei vitaminen zien en speciale zouten die door het eten voor de dieren worden gemengd. En je zou ook heel veel thee zien staan. Die is voor de witgezichtsaki. In thee zit namelijk het looizuur dat deze apen in het oerwoud in Zuid-Amerika gewoon uit de boomblaadjes halen. Daarom krijgen deze saki's geen koffie, maar wel elke dag een heleboel koude thee.

Waarom gaan pinguïns in een dierentuin naar school?

De pinguïns in een dierentuin zitten niet in een klasje omdat ze moeten leren lopen. Dat kunnen ze zo gauw ze uit het ei kruipen. De pinguïns krijgen ook geen les om te leren zwemmen. Dat kunnen ze zo gauw ze groot genoeg zijn om in het water te springen. De pinguïns moeten leren om te eten uit de hand van een mens.

In de natuur krijgen pinguïns de eerste maanden van hun leven eten van hun vader en moeder. Die duiken om beurten in zee om vis te vangen en inktvis of krill – een soort garnaaltjes. De half verteerde resten daarvan braken ze op en voeren ze aan hun jong.

Zo worden de pinguïns groot en sterk. Ze krijgen een vetlaag die hen in het koude zeewater warm zal houden. Hun pootjes met zwemvliezen worden stevige flippers. Hun dons valt uit en ze krijgen korte, dicht op elkaar staande veren. Van hun vader en moeder kijken ze af hoe ze het vet uit een speciale staartklier met hun snavel over die veren moeten smeren. Zo verandert hun verenjas in een waterdicht zwempak.

Als dat allemaal is gelukt, kunnen ze de oceaan in, op jacht naar krill en vis en inktvis. Ze 'vliegen' door het water, sturen met hun staart en happen met hun snavel alsof ze dat altijd al gedaan hebben.

Maar ja, de pinguïns in een dierentuin duiken niet in water vol levende vissen en krill. Hun vis komt uit een emmer, en is zo dood als een pier. Hoe je zo'n vis uit een mensenhand door je keel moet laten glijden – pinguïns kauwen niet – dat leren ze dus in een klasje.

Maar dat is niet het enige. Die vis is meestal al weken dood en heeft – op het vissersschip en daarna – in de diepvries gelegen. Daardoor komt in de vis een stofje vrij dat vitamine B afbreekt. Maar zonder vitamine B worden pinguïns niet groot, niet sterk en dus ook niet gezond. Daarom moeten pinguïns een vitaminepil slikken, en ook die krijgen ze in het klasje.

Omdat een echte pil doorslikken voor kleine pinguïns veel te lastig is, wordt de pil vermalen en gemengd door de vispap. Voor oudere pinguïns wordt de pil in de buik van de vis verstopt. Als er in de dierentuin een vis door de keel van een pinguïn glijdt, schuift er dus onzichtbaar ook steeds een vitaminepil naar binnen.

Grijpt een slingeraap weleens mis?

Slingerapen zijn de luchtacrobaten van het oerwoud. Op de grond komen ze bijna nooit. Hun wereld bestaat uit de boomtoppen van de regenwouden in Zuid-Amerika. Daar zwieren ze van tak naar tak, zoeken ze naar vruchten en gaan ze voor de lol achter elkaar aan. De baby's op de rug van hun moeder kijken alvast de slingerkunsten af. Maar of slingerapen ook weleens misgrijpen?

Het moet haast wel. Ook een slingeraap kan een slechte dag hebben. Of de pech dat een tak wegschiet als hij van tien meter ver komt aangeslingerd. Zelfs van de beste slingeraars van alle apen zal er dus af en toe weleens eentje naar beneden tuimelen. Al gebeurt dat vast minder vaak dan bij andere apensoorten.

Want apen vallen vaker dan je zou denken als je ze in een dierentuin zo nonchalant aan een touw ziet bungelen of krijsend over de apenrots ziet rennen. Onderzoekers hebben een keer röntgenfoto's gemaakt van een troep van bijna zestig wilde Japanse makaken. Aan de buitenkant was niks bijzonders aan ze te zien en ze waren allemaal even lenig. Maar de foto's gaven aan dat al die apen – mannetjes en vrouwtjes – al eens iets gebroken hadden. Meestal zelfs twee of drie keer.

De slingerapen uit Zuid-Amerika worden ook wel bosduivels genoemd. Hun gespierde staart en hun handen zijn helemaal op het slingeren aangepast: hun duim lijkt op een vijfde vinger, dat is makkelijker bij het grijpen. Bovendien zijn ze beresterk.

In Azië leven andere slingerapen, gibbons. Zij hebben wel sterke handen, maar geen staart. Ook gibbons zijn een keer onder een röntgenapparaat gelegd. Van elke drie had er toen eentje ooit wat gebroken.

Die breuken waren vanzelf genezen. Zonder gips, zonder spalk en zonder speciale oefeningen. Zoiets hebben apen ook helemaal niet nodig. Zij zorgen er gewoon voor dat ze hun gebroken poot een paar weken niet gebruiken. En als een poot maar lang genoeg rust heeft, groeit het bot vanzelf weer aan. Niet zo netjes als bij een mens die in het ziekenhuis is onderzocht en geopereerd, maar een hobbel op het bot is voor apen niet zo'n probleem.

Het scheelt natuurlijk dat apen vier sterke poten hebben om op te lopen, terwijl het met drie ook nog wel gaat. En dat ze vier – met een sterke staart erbij zelfs vijf – grijparmen hebben om aan te bungelen, terwijl je met drie meestal ook wel lekker hangt. Daardoor kunnen ze een gebroken poot gemakkelijk een tijd laten rusten. Pas als ze voelen dat het bot weer is geheeld, beginnen ze hem voorzichtig weer te gebruiken.

Zouden de slingerapen uit de oerwouden van Zuid-Amerika dat ook zo doen? Om het helemaal zeker te weten, zou iemand een grote groep van die slingerapen in de gaten moeten houden. Of onder het röntgenapparaat moeten leggen. Tot die tijd mag je denken van wel.

Hoe verandert een kameleon van kleur?

Een kameleon kijkt niet om zich heen en denkt: hé, ik zit in het groene gras. Nu kan ik maar beter groen worden. En als je een kameleon op een geruit kleedje zet, wordt een kameleon ook niet geruit. Een kameleon kiest zijn eigen kleuren niet. Bij zijn geboorte heeft hij een paar 'pakken' meegekregen. Welke dat zijn, hangt af van de soort kameleon. En welke hij 'aantrekt', daar heeft hij niks over te zeggen. Dat gaat gewoon vanzelf.

Als het warm is, krijgt hij de ene kleur. Bij kou hoort een andere tint. Als er veel licht is, heeft een kameleon kleur zus. In de schemering verschiet hij naar kleur zo.

Die kleuren zijn slim geprogrammeerd: het zijn schutkleuren. Groen voor overdag bijvoorbeeld, als een kameleon in de struiken op insecten jaagt. Grijsgeel voor in de schemering, als een kameleon schuilt tussen de grijzige rotsen. En een ingewikkeld patroon met verschillende kleuren, voor kameleons die over boomtakken kruipen.

De huid van een kameleon zit zo in elkaar dat de gekste patronen gemaakt kunnen worden. Dat komt doordat in die huid drie lagen zitten met elk een andere voorraad kleurstof – pigment wordt dat genoemd. Eerst is er een laag met rode en gele kleurstof, dan een laag met blauw en bruinzwart pigment, en onderop een laag met wit. Helemaal boven op die drie lagen ligt nog een doorzichtig laagje huid.

Om de kameleon een bepaalde kleur te geven, persen de huid-cellen kleurstof naar boven. Die huidcellen lijken een beetje op paddenstoelen, met om hun stelen kleine spiertjes. Als die spiertjes aanspannen, knijpen ze de 'stelen' dicht en duwen zo rood, geel, zwart of blauw pigment naar de platte bovenkant van de cellen. Pas dan is de kleur van buitenaf te zien.

Dat gebeurt niet alleen bij veranderingen in warmte of licht. Een kameleon verschiet ook van kleur als hij indringers uit zijn territorium moet verjagen. Of als hij zich boos maakt of een leuk vrouwtje ziet. Of natuurlijk als een vrouwtje een leuk mannetje ziet. En als een kameleon door een roofdier wordt bedreigd, blaast hij zich op en wordt hij zwart. Alsof hij een vies dood dier is, of een raar giftig geval.

Soms zeggen mensen weleens van iemand dat hij een kameleon is. Dan bedoelen ze dat zo iemand nooit laat merken wat hij zelf denkt en vindt. Dat hij zich altijd aanpast aan andere mensen om hem heen: dezelfde soort kleren draagt, dezelfde woorden kiest, dezelfde grappen maakt. Maar als iemand echt op een kameleon lijkt, laat hij het wel merken als hij boos, bang of verliefd is.

Wordt een ijsbeer nooit sneeuwblind?

Mensen die naar de Noordpool gaan, om bijvoorbeeld ijsberen te filmen, moeten uitkijken dat hun ogen niet verbranden. Met donkere zonnebrillen moeten ze het schelle licht van de zon dempen, en de flonkering van de sneeuw. Maar ijsberen hebben geen brilletje nodig. In de donkere ogen van ijsberen zit de zonnebril al ingebouwd.

IJsberen hebben een extra vlies op hun ogen dat het licht een beetje tegenhoudt. Vooral ultraviolet licht, want dat blauwpaarsige licht laat sneeuw en water zo schitteren dat het bijna pijn doet. Ultraviolet licht kan ogen zelfs onherstelbaar beschadigen. Maar niet die van een ijsbeer dus, want zoals een kameel gemaakt is voor de woestijn, zo is een ijsbeer toegerust om te overleven op uitgestrekte ijsplaten.

Dat merk je niet alleen aan zijn ogen, maar ook aan zijn scherpe neus. Daarmee ruikt hij een voedzaam hapje van zo ver weg dat je aan ogen en oren niks hebt. Hij ruikt zelfs een voedzame zeehond die 32 kilometer verderop ligt te dutten. En op anderhalve kilometer heeft hij al in de gaten of een onder het ijs jagende zeehond een wak als luchtgat gebruikt.

Zijn vacht loopt als een antislipsok door tot onder zijn poten. Zo kan een ijsbeer zonder uit te glijden en bijna zonder geluid naar dat wak of die zeehond lopen. Onderweg blijft hij warm omdat zijn vacht en vel in slimme laagjes zijn onderverdeeld.

Een ijsbeer heeft een overjas van lange, vette haren. Als die

nat worden, plakken ze aan elkaar en maken de overjas wind-
en waterdicht. Daaronder draagt hij een jack van stevige, korte
haartjes die de warmte vasthouden. Ook zijn zwarte vel, daar weer
onder, houdt door zijn kleur goed warmte vast. En om de ijsbeer
extra te isoleren, zit onder die zwarte trui nog een vetlaag: 'blub-
ber' die wel vijf en soms zelfs tien centimeter dik is.

Het grappige is dat een ijsbeer niet alleen een zwart vel heeft,
maar dat ook zijn haren niet wit zijn. Ze zijn hol van binnen en
net zo doorzichtig als de kleine sneeuwkristalletjes op de ijsvlakte.
Dat ze wit lijken komt doordat ze, net als sneeuw, het zonlicht
alle kanten op sturen. Om niet op te vallen, heeft de ijsbeer zelfs
dat trucje van zijn omgeving overgenomen!

Alleen zijn zwarte neus en de randjes rond zijn ogen verraden
waar hij lang geleden vandaan kwam. De ijsbeer is een familielid
van de bruine beer, en hij is steeds witter en dikker geworden.
Maar bruine beren kunnen hun neven beter niet opzoeken: zonder ingebouwde zonnebril en blubberlaag maken ze op de ijzige
vlaktes geen schijn van kans.

Waarom eet een geit papier?

Een geit eet geen papier omdat zij dat zo lekker vindt. Voor een
stapel kranten zou een geit haar neus ophalen. Dat geiten op een
kinderboerderij soms ineens een hap nemen uit een tekening of
een folder, is waarschijnlijk per ongeluk. Misschien denken ze
dat het om een papieren zak gaat met brood erin of wortels, en
proberen ze alvast door die zak heen te eten.

Geiten krijgen in elk geval geen buikpijn van een stuk papier.
Met hun vier magen kunnen ze het makkelijk verteren. Dat komt
doordat in papier dezelfde stof zit die de stelen van planten, het
schors van bomen en de sprieten van grassen stevig maakt. Dat
stofje heet cellulose, en de magen van geiten zijn er helemaal op
ingesteld om dat klein te krijgen.

Dat kost wel even tijd. Niet alleen omdat cellulose zo'n stevig
stofje is, maar ook omdat geiten zo schrokken. Net als koeien en
herten proppen ze gehaast, schichtig en bijna zonder te kauwen
hun eten naar binnen. Net zo lang tot hun eerste maag, de 'pens',
helemaal vol zit.

Daarna is het extra veel werk om van die grote happen heel
kleine stukjes te maken. Maar dat moet wel gebeuren. Pas als het
voer in minuscule stukjes is verdeeld, kunnen de magen en de
darmen gaan sorteren: dít zijn nuttige stofjes voor energie en
om van te groeien, en dát is afval voor in de keutels. Want net als
bij mensen zijn ook de magen en de darmen van geiten eigenlijk
grote hak- en sorteermachines.

In de pens krijgt die hakmachine hulp van bacteriën en schimmels en andere kleine beestjes. Met miljoenen storten die zich op het gras en het hooi of op het papier: ze slopen het en breken het in kleine stukjes. Zo zorgen ze ervoor dat uit onbruikbare stoffen zoals cellulose toch weer nuttige stofjes te halen zijn. Eiwitten en vetzuren bijvoorbeeld, die verder alleen in vlees, melk en eieren zitten.

Dat doen die bacteriën en andere beestjes natuurlijk niet voor niks. Ze eten zelf ook lekker mee. De pens is voor hen een soort grote voerbak, die telkens opnieuw gevuld wordt.

Maar zelfs de miljoenen bacteriën en beestjes krijgen het voer niet in één keer klein. Als geiten rustig op een veilige plek zijn gaan liggen, gaat ruw voer uit de pens daarom stukje bij beetje naar een tweede maag, de 'netmaag', die er een soort tennisballen van kneedt. Een voor een gaan die tennisballen terug naar de bek. Daar worden ze, nu wel rustig en kalm, fijngemalen en met spuug vermengd. Soms kun je ze door de hals van de geit naar boven zien schieten.

Pas als het voer zo heen en weer is gegaan – soms wel een paar keer – stuurt de netmaag het de andere kant op: naar de derde maag, de vierde maag en dan door naar de darmen. Daar worden de nuttige stofjes naar het bloed overgeheveld en wordt het afval gekneed tot geitenkeutels.

Zo werkt het niet alleen bij geiten. Ook schapen zijn herkauwers, en koeien, giraffes, herten en antilopen. Bij elkaar zijn er bijna 140 soorten herkauwers.

Het zou misschien handig zijn geweest als ook mensen vier magen hadden. Dan zouden we geen vlees, eieren en yoghurt meer hoeven te eten om nuttige eiwitten en vetzuren binnen te krijgen. Dan konden we die, net als geiten, uit gras en blaadjes en hooi halen. Dan zouden we nooit meer dieren hoeven te slachten, en als we trek hadden gingen we gewoon even grazen in het park.

Een darm als een slaapzak

Ook paarden, ezels of olifanten eten gras en bladeren. Maar deze dieren herkauwen niet, want ze hebben maar één maag. Deze dieren hebben weer andere trucjes om gras en blaadjes te verteren. Paarden, ezels en andere paardachtigen hebben heel grote darmen vol bacteriën, schimmels en andere kleine hulpjes. Bij olifanten huizen die hulptroepen in hun blinde darm: die is daardoor soms zo groot als een slaapzak!

Waar blijft de poep uit een dierentuin?

De poep van de dieren uit een dierentuin gaat naar speciale bedrijven die mest verwerken. Die laten de poep en het stro gisten tot er gas uitkomt waar elektriciteit mee opgewekt kan worden. Of ze maken er mest van voor de planten en gewassen in tuinen, op akkers en in parken. Of ze verbranden de poep als die van zieke dieren komt.

De poep kan natuurlijk ook niet in een dierentuin blijven. Daarvoor is het veel te veel. Een beetje olifant produceert op een dag bijna honderd kilo drollen. Als in een dierentuin drie olifanten wonen, zorgen die samen in één week dus al voor tweeduizend kilo poep! Als je daar de poep van de leeuwen, de wolven, de beren, de zebra's, de stekelvarkens, de apen en alle andere dieren bij optelt, dan zit een beetje dierentuin na een week met een poepvoorraad van vijftienduizend kilo. Er zijn bij elkaar dus ook heel wat dierenverzorgers nodig om al die poep en het stro, al die mest, weer op te vegen.

In het wild lopen er natuurlijk geen mannen en vrouwen met bezems rond. Daar wordt de poep opgeruimd doordat dieren de uitwerpselen van elkaar en soms van zichzelf weer gebruiken. De neushoorn bijvoorbeeld stapt met zijn enorme poten in zijn eigen poep en loopt daarna een rondje rond het gebied waar hij woont. Zo laat hij een geurspoor – eigenlijk een poepspoor – achter dat laat zien waar de grens van zijn territorium loopt.

Het nijlpaard laat terwijl hij poept zijn kleine staartje als een propeller draaien. Zo zorgt hij ervoor dat zijn poep in kleine stuk-

jes in het rond sproeit. Dat is zijn manier om een grens te trekken
rond zijn leefgebied.

Ossenpikkers, grote vogels die op de savanne leven en vaak de
hele dag op de rug van een neushoorn of giraffe meeliften, gebruiken olifantenpoep als cement. Ze smeren er hun nest mee in om
het stevig te maken.

Mestkevers wroeten stukjes uit de drollen van zoogdieren, van
bijvoorbeeld paarden- en geitenpoep in Nederland en van apen-
en olifantenpoep in Afrika, en draaien er balletjes van die ze naar
hun nest duwen. Die balletjes zijn hun voedselvoorraad, want
mestkevers eten poep. Sommige mestkeversoorten leggen zelfs
eitjes in die mestballetjes. Als kleine keverlarfjes uit het ei kruipen,
kunnen ze meteen gaan smikkelen.

En als al die poep zo door allerlei dieren verspreid en gebruikt
is, maken de ontelbare bacteriën en schimmels die in de bodem
leven, het werk af. Samen zorgen die ervoor dat ook de laatste
restjes netjes worden opgeruimd.

Stikt een slang nooit in zijn prooi?

Hoewel slangen niet smakken, eten ze zo onsmakelijk als het maar kan. Met hun bek wijd open, zonder kauwen, werken ze zomaar een hele muis weg. Of een rat als het moet. Zelfs een tapir of een jong zwijn verdwijnt in de bek van sommige slangen. Met huid en haar en hoeven. De kop zakt als eerste het keelgat in, dan volgt stukje bij beetje de rest van het lijf en als laatste glijdt het bungelende staartje naar binnen.

Dat kan wel een paar uur duren, want veel van die beesten zijn twee, soms wel drie keer zo groot als de kop van de slang. Dat de slang niet barst of stikt, met zo'n volgepropt keelgat, komt doordat zijn hele kop ontworpen is om te schrokken.

Een van de slimmigheidjes is een luchtpijp die naar voren kan schuiven – langs de onderkaak, onder de muis, de rat of het zwijntje door. Zo kan de slang, al proppend en persend, gewoon door blijven ademen.

Van tevoren heeft de slang natuurlijk wel wat voorzorgsmaatregelen genomen. Want het is niet de bedoeling dat de prooi zijn slokdarm openkrabt of nog een flinke trap omhoog tegen de slangenhersenen geeft. Daarom heeft de slang zijn prooi eerst verlamd of gedood. Sommige slangen gebruiken daarvoor gif, dat ze met hun holle tanden injecteren. Andere slaan hun gespierde lijf een paar keer om het middenrif van de prooi en drukken langzaam alle lucht uit de longen van dat ongelukkige dier.

Pas als de prooi vergiftigd of gestikt is, schuift de slang zijn kaken van elkaar. En dat is het tweede slimmigheidje. Bij de meeste andere dieren en bij mensen zit de bovenkaak aan de schedel vast. Alleen de onderkaak kan openkiepen. Maar de kaken van slangen zijn beweeglijk. Tussen de onder- en bovenkaak zit een soepel verbindingsstukje waardoor ze een heel eind uit elkaar kunnen schuiven. Als ze daarna ook nog openkiepen, ontstaat er een enorme laadruimte.

Het derde slimmigheidje is dat slangen geen kin hebben. De linker- en de rechterhelft van hun onderkaak – en trouwens ook van hun bovenkaak – zitten dus niet aan elkaar vast. Daardoor kan een slang alleen zijn 'linkerkaken' en zijn 'rechterkaken' om en om naar voren schuiven en in het vlees haken. Zo werkt hij al duwend – links, recht, links, rechts – zijn prooi naar binnen. Het is hetzelfde idee als wanneer je op je buik ligt en jezelf om en om met je ellebogen naar voren drukt.

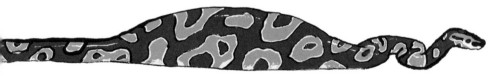

Het vierde slimmigheidje is de enorme hoeveelheid spuug, die ervoor zorgt dat de prooi niet schuurt en in het keelgat blijft steken.

Het vijfde en laatste slimmigheidje is natuurlijk het soepele lijf dat de prooi opvangt. Met wel vierhonderd of meer ribben die best even willen buigen om een verse rat of tapir door te laten.

Daarna is de slang wel een paar uur, een dag, of soms zelfs een paar dagen bezig om zijn maal te verteren. Zelfs de botjes verdwijnen daarbij. Alleen de haren en hoeven van zijn prooi poept de slang weer uit.

Bij gifslangen zorgt het gif in de prooi ervoor dat het verteren wat sneller gaat. Maar toch kost het veel energie. De slang blijft dus het liefst rustig in de zon of ergens warm onder de stenen liggen. Erg beweeglijk kan de slang ook niet zijn met een heel beest in zijn lijf. Als hij toch snel moet bewegen, omdat er gevaar dreigt, moet hij die klomp in zijn ingewanden vlug zien kwijt te raken. Dan braakt hij al zijn eten uit – en ja, dat is ook vies.

Bewaren kangoeroes weleens eten in hun buidel?

Nee, kangoeroes bewaren geen eten in hun buidel, zelfs geen strootje. En als er per ongeluk wel een takje in hun buidel valt, likken ze hem vlug weer schoon. De buidel is een draagzak voor babykangoeroes. Die moeten er warm en schoon in kunnen liggen. Daarom is de buidel ook bekleed met zacht moedervel. Bovendien is hij op de groei gemaakt, en dat is ook wel nodig.

Pasgeboren kangoeroes zijn niet veel groter dan een flinke bruine boon – ze wegen minder dan een gram – maar als ze na zeven maanden uit de buidel klauteren, zijn kleine kangoeroes even zwaar als vijf volle pakken melk.

In die maanden verandert er veel meer. Pasgeboren kangoeroes lijken helemaal nergens op. Kale wormpjes zijn het, zonder ogen, zonder vacht en met een beginnetje van een staart. Alleen hun twee voorpootjes en hun neusje werken al zoals het moet.

Met die kleine voorpootjes klimt de babykangoeroe meteen na zijn geboorte helemaal langs de moedervacht naar boven. Zijn neusje wijst de weg naar de buidel. Vlug, vlug, want hij heeft warmte nodig en heel veel melk.

In de grote buidel moet dat boontje ook nog een tepel zoeken. Gelukkig zijn er daarvan vier. En als hij aan eentje daarvan hangt, hoeft de kleine kangoeroe niks meer te doen. Hij mag drinken en drinken en groeien en groeien. Tot hij na vijf maanden haartjes heeft gekregen, twee oren en een snoet, en twee ogen om mee naar de wereld te kijken. Dan steekt de kleine kangoeroe zijn kop naar buiten. 'Hallo, daar ben ik.'

Na nog eens twee maanden is hij groot genoeg om uit de buidel te klimmen. Hij heeft dan stevige achterpoten waarmee hij moet leren springen, en rechte tanden waarmee hij moet leren grazen. En een lange staart waarmee hij zijn evenwicht moet leren bewaren als hij rent. Net als zijn vader en moeder dat doen, die soms met wel zestig kilometer per uur over de vlaktes razen. En die grazen en op blaadjes kauwen alsof ze ezels zijn.

De kleine, rondspringende kangoeroe blijft nog wel een half jaar melk drinken. Als hij moe is of honger heeft, springt hij gewoon de buidel weer in. De kleine kangoeroe drinkt zelfs melk als hij allang niet meer in de buidel past. Dan steekt hij alleen zijn kop erin. En soms hangt er dan, aan een andere tepel, alweer een nieuwe babykangoeroe.

Babymelk en kindermelk
De kangoeroe heeft niet zomaar vier tepels. Ze kan daar verschillende soorten melk mee geven. De kleine babykangoeroe krijgt speciale babymelk. Het grotere jong, dat alleen af en toe zijn kop in de buidel steekt, krijgt groeimelk.

Waarvan is de snavel van een pelikaan gemaakt?

De snavel van een pelikaan lijkt aan de onderkant wel van kauw-gum. Of van zacht rubber met grote plooien en heel veel rek erin. Dat kun je goed zien als pelikanen hun snavel in het water steken en hem als een zak helemaal vol laten lopen. Dan zie je ook waar-om die snavel zo elastisch is: het is een schepnet.

Dat schepnet is ontstaan uit iets wat veel vogels hebben. Zelfs bij een kip kun je het zien: een stukje vel in de onderkant van de snavel. Dat 'keelzakje' hangt tussen de zijkanten van de snavel-randen die als de poten van een omgekeerde V tegen de vogelkop aan staan. En dat is niet zomaar voor de sier. Het zakje zorgt voor extra ruimte bij grote happen.

Bij pelikanen is dat heel goed gelukt. Hun keelzak kan zo groot worden, dat ze er wel twaalf liter water en vier kilo vis in kunnen opbergen. In dierentuinen is het zelfs een paar keer gebeurd dat een pelikaan per ongeluk een hele eend opschepte.

In het wild leven de roze pelikanen (dat is de soort die je meestal in dierentuinen ziet) in groepen bij de meren van Azië, Zuidoost-Europa en Afrika. Vis vangen ze daar meestal 's morgens vroeg. Met veel geklapper van hun vleugels jagen ze dan scholen vis naar ondiep water. Met zijn achten of twaalven sluiten ze daar-

na zo'n school in, door er in een hoefijzervorm omheen te dobberen. En dan hoeven ze alleen nog maar allemaal tegelijk hun snavel in het water te steken, zodat geen vis nog kan ontsnappen.

Door hun snavel nog een tijdje naar beneden te laten wijzen, laten ze daarna het water weglopen. Dan kantelen ze hun kop naar achteren en kiepen de overgebleven vissen zo uit hun 'schepnet' hun keel in.

Heel grote vissen krijgen een speciale behandeling. Die spiesen pelikanen aan het haakje aan het uiteinde van hun snavel. Met een zwiepbeweging van hun kop gooien ze daarna de arme vis in de lucht en slokken hem dan in één keer op.

Voor jonge pelikanen is dat allemaal veel te moeilijk. Zij mogen daarom hun kop in de snavel van hun vader en moeder steken en stukjes vis uit hun slokdarm pikken. Als de jongen heel klein zijn, braken hun vader en moeder zelfs half verteerde vis op en leggen die brij in hun keelzak klaar. Het schepnet is dan een voerbak geworden.

Waarom spuugt een lama?

Een lama spuugt niet om te pesten. Lama's die spugen zijn meestal boos op opdringerige ezels, vervelende soortgenoten of dieren die kwaad willen. Zo proberen ze die lastposten te verjagen. En soms spugen lama's uit angst. Want lama's zijn nogal schuw en daardoor vaak een beetje bang voor vreemdelingen. Maar verder zijn het, als ze goed opgevoed zijn, vriendelijke en nieuwsgierige dieren.

Hun opvoeding krijgen lama's in de kudde en ook altijd een beetje van mensen. Wilde lama's bestaan niet. De paar duizend lama's die in Zuid- en Midden-Amerikaanse landen leven, wonen altijd bij mensen. Die houden lama's om hun wol en als lastdier – om hun spullen te dragen over zanderige wegen en smalle bergpaadjes.

Lama's zijn dus nuttige dieren, waar mensen blij mee zijn. Behalve als ze, vaak gewoon per ongeluk, een natte klodder tegen iemand aanschieten. Zo'n klodder is groot, groen, slijmerig en stinkt verschrikkelijk. Het is geen spuug, maar slijm en half verteerd gras. De lama heeft die groene drab uit zijn eerste, tweede of – als hij heel boos is – derde maag omhooggeperst. Het is een soort lamabraaksel.

Familieleden van de lama spugen ook. Alpaca's bijvoorbeeld, die in dezelfde landen leven, ook in kuddes en ook altijd bij mensen. Alpaca's zijn een stuk kleiner dan lama's. Ze worden niet als

lastdier gehouden, maar omdat hun wol zo mooi en zacht is. Dat
ze af en toe spugen, nemen hun bazen op de koop toe.

Grotere spugende familieleden zijn kamelen en dromedarissen
(ook een soort kamelen). Lang geleden, toen de continenten nog
aan elkaar vastzaten, zijn kamelen waarschijnlijk geëmigreerd, en
vanuit Amerika helemaal naar Azië en Noord-Afrika gelopen.
Maar ze vergaten niet hoe ze, als het echt nodig is, een grote klodder groene brij uit een van hun drie magen moeten oprispen om
die tegen een mens of dier aan te schieten.

Er zijn meer overeenkomsten tussen alpaca's, lama's en kamelen. Bij allemaal is de bovenlip in het midden gespleten. Als ze
een hap nemen, gaan de twee helften van hun lip dus naar opzij.
En allemaal hebben ze grote, platte 'voeten' met twee hoefachtige,
eeltige tenen en een dikke eeltplooi daartussen. Daardoor kunnen
hun tenen, net als hun lippen, een beetje uit elkaar wijken. Zo
zakken hun poten niet zo snel weg in het woestijnzand of in de
stoffige bergbodem. Omdat er een dikke laag eelt op en tussen zit,
branden ze zich bovendien niet aan heet zand en stof. De groep
van alpaca's, lama's en kamelen dankt zijn naam zelfs aan die brede
poten: al deze spugers worden 'eeltpotigen' genoemd.

Maken wormen geluid?

Nee, wormen maken geen geluid. Waarom zouden ze ook? Andere wormen kunnen hen toch niet horen, want wormen hebben geen oren. En voor hun vijanden kunnen ze zich maar beter stilhouden.

Wormen kunnen ook helemaal geen geluid maken, zelfs al zouden ze het willen. Om geluid te maken, moet je lucht in beweging zetten. Daar zijn stembanden voor nodig, een strottenhoofd, keelzakken of een speciale vogelluchtpijp. En die hebben wormen niet.

Wormen hebben een bek zonder tanden in een kop zonder oren, ogen en neus. Ze kunnen niet horen, niet zien en niet ruiken. Grote happen aarde nemen, dat kunnen ze.

De aarde die de worm zo opslokt, glijdt via een lange buis – zijn maag en darm – door zijn wormenlijf. En komt er aan de achterkant fijngekruimeld weer uit. Als kleine gravende stofzuigerslangen zorgen wormen zo voor een mooie luchtige bodem. Voor zichzelf halen de wormen voedsel uit de aarde: uit de schimmels en rottende blaadjes die erin zitten. Hun darm vist daar de nuttige stofjes uit en brengt die naar het bloed.

Maar als een worm doof en blind is, en niet kan ruiken, hoe weet hij dan waar de schimmels en de blaadjes zitten? En hoe weet hij wanneer hij op de vlucht moet voor een mol of een merel die juist het liefst wormen opeet?

Voor al die dingen gebruikt een worm zijn gevoelige huid. Bij zijn kop zitten huidcellen die een klein beetje licht kunnen opvangen. Zijn lijf is bezaaid met kleine smaakknopjes waarmee hij kan 'proeven'. En zijn huid is supergevoelig voor trillingen in de grond, zelfs de kleinste beweging merkt hij op.

Zo vindt de worm geluidloos zijn weg. De 'lichtcellen' vertellen of hij naar beneden graaft, waar het donker is, of naar boven, waar het lichter wordt. De smaakknopjes wijzen waar de half vergane blaadjes en rottende wortels liggen. En bij de minste of geringste trilling slaat zijn huid alarm. Dat is wel nodig ook, want trillingen komen vaak van een mol die in de buurt aan het graven is, en die vindt een worm een erg lekker tussendoortje.

Na zo'n alarm schieten wormen meestal vlug naar boven, naar het licht. Voor eventjes maar, want de zon droogt hun vochtige lijf uit en boven de grond loeren gevaarlijke vogels.

Die vogels, zoals merels en grutto's, hebben intussen een trucje ontdekt. Ze stampen zachtjes met hun pootjes en laten de grond een beetje trillen. De arme worm die zich vergist en op de vlucht slaat voor een denkbeeldige mol, eindigt zijn leven in een snavel.

Wordt een stekelvarken geboren met stekels?

Als stekelvarkentjes worden geboren, zijn het net kleine spelden-kussens. Hun rug zit helemaal vol met kleine stekels. Gelukkig zijn die stekels nog kort en zacht. Anders zou het een heel geprik zijn in de buik van hun moeder. Een, twee, drie of vier stekel-varkentjes zitten daar bijna vier maanden in.

Als de stekelvarkentjes geboren zijn, doen ze meteen hun ogen open. Met hun stevige pootjes kunnen ze ook al lopen, maar hun vader en moeder houden hen goed in de gaten. 's Nachts slapen de jongen tussen hun ouders in. En de eerste twee weken mogen ze het hol niet uit.

Dat hol hebben hun ouders meestal in het zand gegraven of tussen de rotsen gevonden. En soms wonen de stekelvarkens in het verlaten gangenstelsel van vossen of van dassen, dat ze dus ei-genlijk hebben gekraakt. Voor hun jongen hebben ze er een laagje bladeren in gelegd. Tenminste, zo gaat dat bij de 'gewone stekel-varkens' die in Afrika en de zuidelijkste puntjes van Europa leven.

Als hun stekels na twee weken hard zijn geworden, mogen de jongen naar buiten. Natuurlijk zijn hun stekels dan nog niet zo lang als de zwart-wit gestreepte stekels op de ruggen van hun vader en moeder; de langste daarvan zijn wel dertig of veertig centimeter. Maar ze beginnen er al een beetje dreigend uit te zien.

Het stofje dat de stekels van stekelvarkens zo stevig maakt, komt ook bij andere dieren voor. Keratine heet het, of hoorn. Bij mensen zorgt zachtere keratine voor nagels, haren en eelt. Een weer iets andere keratine maakt de schubben van reptielen waterdicht. En nog een andere keratinesoort zit in de hoeven van schapen, ezels, varkens, nijlpaarden en andere hoefdieren.

Vroeger dachten mensen dat stekelvarkens de stekels vanuit hun rug zo op hun vijanden konden afschieten. Maar zo'n James Bond-truc kennen stekelvarkens niet. Wel kunnen ze hun vijanden bang maken door hun stekels op te zetten en met hun staart te wapperen zodat het rammelt.

Dat gerammel is een waarschuwing. Als een vijand daar niet naar luistert, loopt een stekelvarken heel hard achteruit, recht tegen hem aan. Zo probeert het stekelvarken een paar stekels diep in het vel van zijn bedreiger te steken. De weerhaakjes aan de uiteinden ervan zorgen ervoor dat die blijven zitten ook! Die prikpennen kunnen dan heel nare ontstekingen geven, en daardoor kunnen stekelvarkens zelfs leeuwen doden.

Maar jonge stekelvarkens hoeven zich nog niet druk te maken. Eerst blijven ze rustig een jaartje bij hun vader en moeder wonen en leren ze hoe ze 's nachts lekkere planten en wortels moeten zoeken. Pas daarna gaan ze zelf een hol graven en een gezin stichten. Dan zijn hun stekels ook lang genoeg om zichzelf en later hun jongen te kunnen verdedigen.

Drinken vissen water?

Haringen, kabeljauwen, tonijnen, anemoonvissen en haaien drinken water. Scholletjes en roggen ook. En het gekke is: alle vissen die water drinken, veel water zelfs, hoeven maar heel kleine plasjes te doen.

Forellen en karpers drinken geen water. Stekelbaarzen en snoeken ook niet. Maar het vreemde is: alle vissen die geen water drinken, moeten juist heel grote plassen doen.

Het hangt er maar van af waar een vis zwemt. In zee drinken vissen veel en plassen ze bijna niet. In zoet water plassen vissen veel en drinken ze bijna niet.

Dat heeft te maken met het water in de vis zelf. Net als mensen bestaan ook vissen voor het grootste deel uit water. En net als bij mensen klotst dat water niet los door hun lijf, maar zit het in het bloed en in alle kleine cellen waaruit vissen – en mensen en alle andere dieren – zijn opgebouwd.

Het water in vissen en mensen is een beetje zout. Niet zo zout als het water in de zee, maar wel zouter dan zoet water. En het is belangrijk dat het altijd even zout blijft. Als een vis of mens zouter wordt of juist 'zoeter', werken zijn cellen niet goed meer. Dan wordt hij ziek en kan hij zelfs doodgaan, als er niet snel iets verandert.

Daarom drinkt een zoetwatervis in een sloot of een meertje maar weinig water: hij mag niet te zoet worden. Maar dat is nog niet alles, want er lekt telkens een beetje water naar binnen door

zijn kieuwen. En door zijn schubben. Die lijken wel waterdicht,
maar zijn het niet helemaal. En water heeft een rare eigenschap:
het wil altijd daarheen waar het zouter is. Naar de vis dus. Zo
siepelt er steeds zoet water de vis in. En om dat water weer kwijt
te raken, doet hij dan af en toe een grote plas.

Bij zoutwatervissen in zee gaat het net andersom. De zee is
zouter dan zijzelf. Dus sijpelt er telkens water de vis uit en de
zee in. Als de vis daar niks aan zou doen, zou hij uitdrogen en
verschrompelen. Dus drinkt een vis in zee veel water. Dat water
is natuurlijk erg zout, maar zeevissen hebben speciale nieren die
bijna al het zout uit dat water kunnen halen. Dat plassen ze dan,
met een klein beetje water erbij, in een zoutig miniplasje de zee
weer in.

Hebben mieren hersenen?

Ja, mieren hebben hersenen. Kleine, dat wel, maar dat kan ook niet anders als je zo'n klein kopje hebt. In mierenhersenen is dus minder ruimte. Er is geen plek voor een 'woordenboek' met duizenden Nederlandse woorden, en misschien nog een paar Engelse en Franse. Er is geen plek voor taalregels. Voor een rekencentrum of een afdeling die figuren en plattegronden voor de geest haalt. En ook niet voor een geheugen.

Zulke hersengebieden helpen mensen bij het praten, lezen, rekenen, autorijden, schilderen en nog veel meer. Maar een mier heeft ze niet. De hersenen van mieren kunnen maar een paar dingen. Ze besturen het mierenlijf. Ze laten de zes mierenpoten en de kaken bewegen. Ze leggen vast wat de mierenogen zien. Ze merken op wat de mierenpoten en voelsprieten voelen. En ze kunnen vooral heel goed de geuren herkennen die een mier oppikt met de voelsprieten op zijn kop.

Zo zorgen ze ervoor dat mieren kunnen 'praten' met geuren. De geur van een mier vertelt bijvoorbeeld wat voor werk hij doet. Is hij een verkenner, die buiten het mierennest op zoek gaat naar voedsel? Een voedselverzamelaar, die met zijn stevige kaken voedsel naar het mierennest draagt? Is hij een vuilnisman, die de rotzooi opruimt? Of een bouwvakker, die ervoor zorgt dat het nest mooi stevig blijft?

Hoe groot?
De hersenen van mieren bestaan uit ongeveer twee-
honderdvijftigduizend hersencellen. In mensenhersenen
zitten tienduizend miljoen hersencellen, dat is veertig-
duizend keer zoveel.

Mieren maken ook geuren om speciale signalen af te geven.
Het geurspoor van verkenners vertelt waar eten te vinden is.
De geur die voedselverzamelaars daarna telkens achterlaten, geeft
aan dat de weg in orde en veilig was. En als de mieren onderweg
worden vertrapt of opgepikt door een kip, maken ze juist zo veel
mogelijk alarmgeur om de andere mieren te waarschuwen dat dit
toch niet zo'n goed weggetje was.

De kleine mierenhersenen laten de mieren dus ook simpele
taakjes uitvoeren zo gauw ze een bepaalde geurstof ruiken. Ze
sturen de voedselverzamelaar op pad zo gauw hij een verkenner
en een geurspoor ruikt. Ze laten een bouwvakker een ingestorte
gang repareren als hij alarmsignalen ruikt...

Het grappige is dat tienduizend of soms wel een miljoen mieren
zo een enorm goed georganiseerd volk vormen. Met een mierennest vol gangen en met voorraadkamers waarin eten wordt be-
waard. Met broedkamers waar eieren worden uitgebroed en met

Stappen tellen?

Voedselzoekers volgen het geurspoor van de verkenners terug naar het mierennest. Maar hoe vinden verkenners het nest terug? Kijken ze naar de stand van de zon? Houden ze bij wat ze onderweg zien? Een tijdje geleden ontdekten onderzoekers dat mieren nog een extra trucje hebben: ze tellen hun stappen. Als ze dan op de terugweg evenveel stappen zetten als op de heenweg, komen ze weer ongeveer in de buurt van hun nest uit. De onderzoekers kwamen daarachter doordat ze de mierenpoten op een soort ministelten vastlijmden. Als de mieren op die lange stelten liepen, en dus grotere stappen maakten, wandelden ze hun nest op de terugweg zomaar voorbij. Als hun poten werden afgeknipt – wel een beetje gemeen – zochten ze naar hun nest lang voordat ze er waren aangekomen.

---

kraamkamers waarin larven worden verzorgd. Er zijn zelfs mierensoorten die schimmels kweken of luizen melken om aan voedsel te komen. En dat terwijl er niemand is die ze commandeert, die opdrachten geeft of die plannen voor ze maakt. Elke mier voert alleen maar een simpel taakje uit als hij vlakbij iets ziet en – vooral – ruikt. Eigenlijk lijkt elke mier zo een beetje op één losse hersencel en tienduizenden mieren samen op een heel groot mierennestbrein.

Waar halen dierentuinen hun dieren vandaan?

Dieren in een dierentuin komen bijna altijd uit de dierentuin zelf. Meestal blijven ze hun hele leven in de tuin waar ze geboren zijn. Soms worden ze geruild. Als de ene dierentuin veel jonge pinguïns heeft bijvoorbeeld, terwijl in de andere tuin vlak na elkaar een paar olifantjes zijn geboren. Dan kunnen de directeuren van de dierentuinen, als in een potje dierenkwartet, aan elkaar vragen: mag ik van jou een paar pinguïns? En mag ik van jou een olifant?

Maar dieren verhuizen nooit zomaar naar een andere dierentuin. Eerst wordt gekeken of er genoeg plek is en of het dier in de groep past. Als er bijvoorbeeld een paar bazige mannetjesolifanten in een groep zitten, is het niet slim om er een jong, driftig mannetje bij te zetten. Dat wordt waarschijnlijk vechten, en dat is niet de bedoeling. Dieren moeten het een beetje naar hun zin hebben.

Vroeger dachten mensen daar helemaal niet zo over na. Een paar honderd jaar geleden trokken gezelschappen langs dorpen en steden met een menagerie – een troep dieren die werd tentoongesteld als op een kermis. En ook koningen vonden het vaak wel interessant staan om een verzameling exotische dieren in hun paleistuin te hebben.

Bijna tweehonderd jaar geleden werden de eerste echte dierentuinen opgericht, waar gewone mensen allerlei dieren rustig
konden bekijken. Maar zulke dierentuinen waren eigenlijk nog
steeds tentoonstellingen, waar mensen zich aan de beesten konden
vergapen. En of die beesten in hun krappe hokken dat nou zo
leuk vonden?

Dierentuinen kochten de beesten van dierenhandelaars. Of
kregen ze van staatshoofden, sultans, grote bedrijven en circussen.
Zo kwam de olifant Murugan, een vijfduizend kilo zware joekel
die vijftig jaar in Artis heeft geleefd, in 1954 als baby met de boot
naar Amsterdam; een cadeautje van president Nehru van India.

Nu proberen dierentuinen de dieren meer ruimte te geven.
En een omgeving die bij ze past: een waterstroompje en bomen,
of juist zand en kale takken.

Ze proberen de dieren ook zo veel mogelijk zelf te fokken. Dat
is ook omdat veel van de diersoorten die je in dierentuinen ziet,
bedreigd zijn. Van bepaalde dieren leven er in het wild op de hele
aarde soms nog maar een paar honderd. Door zulke dieren niet

uit het wild te halen en door er juist zo veel mogelijk in een dierentuin te laten opgroeien, sterven ze hopelijk niet helemaal uit.

Maar zelf fokken of kweken lukt niet altijd. Koraalvissen bijvoorbeeld krijgen in een aquarium meestal geen jongen en kunnen dus niet gekweekt worden. Daarom komen veel vissen in die glazen bakken nog gewoon uit de wijde zee.

De oudste
De oudste dierentuin van Nederland is Artis. Die dierentuin werd al in 1838 opgericht. Het was een tijd waarin ook andere dierentuinen werden opgericht. Een paar jaar eerder bijvoorbeeld ook in Londen, Dublin en Parijs.

Houden dieren van knutselen?

De beste knutselaars van alle dieren zijn de prieelvogels uit
Australië en Nieuw-Guinea. Dat wil zeggen, de mannetjes. Die
zijn soms dagen in de weer met takjes en bloemetjes en besjes en
blaadjes. Zelfs flessendoppen, gekleurde knijpers en stukjes plastic
gebruiken ze voor hun bouwsels.

Prieelvogels versieren met die spulletjes hun prieel. Bij mensen
is 'prieel' een ouderwetse naam voor een begroeid hutje of tunnel-
tje in een tuin, liefst met klimop en rozen, en met in elk geval een
bankje om samen op te zitten. Het prieel van prieelvogels is soms
een versierd tuintje. Maar het kan ook een lange gang zijn van
takjes die met bessen en bloemen is bestrooid. Of een hutje met
knijpers en doppen rond de ingang. En soms is het een groots
bouwwerk dat helemaal om een struik heen loopt en dat met
bessensap is geverfd. Maar het is altijd de bedoeling dat er een
vrouwtje op afkomt – en dat de prieelvogel dan samen met haar
in het prieel een beetje kan kroelen.

Prieelvogels zijn dus niet alleen knutselaars, maar ook grote
uitslovers. Hoe onopvallender het mannetje eruitziet, hoe meer
aandacht hij met zijn prieel probeert te trekken. Daarom hebben
juist vale bruine mannetjes de mooiste priëlen.

En als de vrouwtjes toch niet onder de indruk zijn, gaan zulke
prieelvogels krijsen en herrie maken. Ze doen bijvoorbeeld een
gillend varken na, of een bus met piepende remmen. Alsof ze
toneelspelers zijn in een eigengebouwd decor.

Als zelfs dat niet blijkt te helpen, is het tijd om het prieel van

Schilders

Misschien is er een dier dat toch 'zomaar' iets maakt:
de olifant. Twee kunstenaars, Vitaly Komar en Alex
Melamid, hebben op een paar plaatsen op aarde aan olifanten schilderles gegeven. Niet alleen maar voor de grap:
met het geld dat de schilderijen opleveren, worden zieke
en gewonde olifanten opgevangen en verzorgd. De schil-
derolifanten hebben een palet met een paar kleuren en
houden met hun slurf een kwast vast. Ze hebben geleerd
om zo strepen en vlekken te schilderen op grote vellen
papier. Een keer hebben Vitaly en Alex de schilderijen
stiekem in een museum voor moderne kunst in Amerika
opgehangen. Veel mensen merkten het niet eens: ze zagen
geen verschil met mensenschilderijen. Sommigen vonden
de olifantenschilderijen zelfs het allermooist.

de buurman te gaan slopen. Die daarna weer uren bezig is om
elk takje en besje op zijn plek terug te leggen.

Knutselen is voor prieelvogels dus niet altijd een pretje. En
het is zeker niet zomaar een tijdverdrijf. Knutselen is een serieuze
aangelegenheid; een zaak van levensbelang. Geen prieel betekent
geen vrouwtje, geen vrouwtje betekent geen nest en geen nest
betekent geen eieren en geen jongen.

Wat gebeurt er als er wel een vrouwtje het prieel binnenwan-
delt? En als de twee vogels dan in het prieel met elkaar paren?
Dan laat de prieelvogelman daarna alles uit zijn poten vallen. De
prieelvogelvrouw bouwt in haar eentje een niet zo mooi versierd,
maar wel stevig en warm nest. Ze broedt in haar eentje de eieren
uit en voedt in haar eentje de jongen op.

En het mannetje? Misschien denkt hij alvast na over de versie-
ring voor zijn prieel voor volgend jaar.

Hoe plast een vogel?

Een vogel plast helemaal niet! Vogels hebben net als zoogdieren nieren die afvalstoffen en zouten afvoeren uit hun lijf. Maar die afvalstoffen mengen ze niet, zoals zoogdieren, met een grote plas water. Vogels maken er een wittige pasta van, die er een beetje uitziet als tandpasta. Die poepen ze samen met hun grijsbruine poep uit.

Dikke pasta maken in plaats van een waterige plas, is een van de manieren waarop vogels zuinig zijn met water. Vogels hebben niet altijd tijd om te drinken. Als ze naar het noorden of naar het zuiden trekken, vliegen ze vaak de hele dag zonder te stoppen door. Ze drinken dus niks op zo'n dag. En als vogels op een droge lentedag hard aan een nest werken, komen ze er ook niet altijd aan toe om water te zoeken.

Poep en plaspasta komen er bij vogels dus tegelijk uit, door hetzelfde gaatje. Vogels hebben geen aparte plas- en poepgaatjes. De poep uit de darm en de plaspasta uit de nieren worden van tevoren verzameld in een holte voor het gaatje. Cloaca heet die holte en in het Latijn betekent dat 'riool'.

Als vogels gaan paren, gebruiken ze hun cloaca ook. De meeste vogels houden dan hun cloaca's tegen elkaar aan, waarna de zaadjes van het mannetje door zijn cloaca naar de cloaca van het vrouwtje stromen. Daarvandaan reizen de zaadjes verder naar een lange

Grootste plas

Vogels, reptielen en amfibieën zijn veel zuiniger met water dan zoogdieren. Die drinken veel water en raken ook veel water kwijt. De recordhouder is het grootste zoogdier op aarde: de olifant. Die slurpt op een niet al te warme dag ongeveer honderdtien liter water op. Een deel daarvan verdwijnt als zweet en in snot en poep, en de rest plast een olifant gewoon weer uit. Elke dag zou je wel zestig melkpakken van een liter kunnen vullen met olifantenplas.

---

buis, de eileider, en zo naar de eitjes.

De eileider van vrouwtjesvogels kan erg oprekken. Dat moet ook, want als de eieren klaar zijn, moeten ze door de eileider naar beneden zakken, naar de cloaca. En vogeleieren kunnen groot worden, met een harde schaal van kalk eromheen.

De eieren komen door hetzelfde gaatje naar buiten als poep en plaspasta. Dat klinkt misschien vies. Maar het ei rekt de eileider zo ver op, dat de darm en de 'plasbuis' helemaal worden dichtgedrukt. Zelfs zo ver dat de cloaca binnenstebuiten wordt gedraaid. Zo komen de eieren schoon naar buiten, zonder een dropje poep of witte pasta erop.

Vogels zijn trouwens niet de enige met dit systeem. Ook alle reptielen en amfibieën (salamanders, kikkers, padden enzovoorts) en bijna alle vissoorten hebben een cloaca.

Wat zit er in de bulten van een kameel?

De bulten van een kameel zitten vol met vet. Hoe steviger ze rechtop staan, hoe meer vet erin zit. In elke bult past ongeveer 35 liter vet.

Voor de kameel is dat een noodvoorraad in de droge en hete woestijn. Daar is vaak dagenlang geen water te bekennen. En daar groeien hooguit wat kurkdroge planten. Het komt dan goed uit dat de kameel vet kan verbranden en daar energie en water uit kan halen.

Het kleine beetje water dat het vet per dag oplevert, zou voor een mens nooit genoeg zijn. Mensen gaan veel slordiger om met het water dat ze binnenkrijgen: het grootste deel plassen ze meteen weer uit, en dan verliezen ze ook nog een deel als zweet en in snot en poep.

Maar kamelen zijn superzuinig met water. Hun poep is kurkdroog en ze doen alleen miniplasjes. Die plas gebruiken ze, net zoals mensen dat doen, om zouten uit hun lichaam af te voeren. De miniplasjes van kamelen zijn dan ook zouter dan de zee; een mens zou zo veel zout in zijn plas niet kunnen verdragen.

Kamelen hebben nog een truc: ze zweten bijna niet. Mensen zweten om ervoor te zorgen dat hun lijf niet warmer wordt dan 37 graden. Als dat wel gebeurt, hebben mensen koorts. Dan rillen ze of zweten ze nog eens extra en voelen zich ziek. Kamelen krijgen geen koorts. Of ze nu 37 graden zijn of 40 graden, ze voelen zich even goed. Alleen bij temperaturen boven de 40 graden moeten ze

oppassen dat hun hersenen niet te warm worden.

Hun vacht zorgt ervoor dat de zon niet recht op hun kale vel brandt en de bulten zijn een extra 'parasol' voor hun lijf daaronder. En dan hebben kamelen ook nog bijzonder bloed. Als mensen vochtgebrek hebben, wordt hun bloed stroperig en kunnen klontjes gevaarlijke opstoppingen geven. Maar kamelen hebben speciale bloedcellen die ook soepel door hun aderen blijven glijden als hun bloed steeds dikker wordt.

En wat gebeurt er als een kameel zijn vet bijna heeft verbrand? Dan zorgt een gootje boven zijn lippen ervoor dat zelfs de laatste zweetdruppeltjes uit zijn neus zijn bek instromen.

Zo houdt een kameel het dagen zonder water uit. Daarna drinkt hij zoveel hij kan. Soms wel honderd liter tegelijk! Hij drinkt zelfs water dat niet zoet is, maar een beetje zout. Mensen worden van zulk brak water ziek, maar een dorstige kameel kan ook hier tegen: eindelijk, water, lekker!

Zijn jonge dieren bij hun geboorte af?

Nee, pasgeboren dieren zijn niet af. Ze zijn pas af als ze net zo groot en sterk zijn als hun vader en moeder, en als ze zelf kinderen kunnen krijgen. Maar sommige pasgeboren dieren zijn wel meer volgroeid dan andere.

Jonge katjes liggen kaal, blind en hulpeloos als nattige zeehondjes bij hun moeder. Maar veulentjes komen bijna kant-en-klaar als kleine paardjes tevoorschijn – ze lopen alleen nog een beetje wankel.

Eendenkuikens, met hun zachte dons, zwemmen een paar dagen nadat ze uit het ei zijn gekropen al door de sloot. Maar jonge zwaluwtjes of meesjes liggen nog wekenlang kalig en kippig in het nest.

Het ligt er maar aan waar een jong dier terechtkomt. Voor hertenkalfjes, giraffeveulens of kleine olifantjes is het van levensbelang dat ze meteen kunnen lopen. Ze hebben de bescherming van de kudde nodig en moeten daarom meteen met die kudde kunnen meetrekken. En ook een eendenkuiken, in een nest op de grond, moet snel weg kunnen zwemmen als er gevaar dreigt.

Katjes, stekelvarkentjes of beertjes in een warm en veilig hol hebben wel even tijd om rustig te groeien. Net als zwaluwtjes of mereltjes in een nest hoog in een boom of onder een dakgoot. Daarom zijn sommige dieren bij hun geboorte of als ze uit het ei kruipen minder volmaakt dan andere dieren.

Er is nog iets anders. Sommige jonge dieren moeten niet alleen groeien, maar ook van alles leren. Jonge olifantjes moeten leren waar lekkere blaadjes te vinden zijn, waar water is en hoe ze zich in de kudde moeten gedragen. Aapjes moeten leren waar de vruchten hangen, dat slangen gevaarlijk zijn en hoe de groep in elkaar zit. Zeehondjes moeten leren waar de vetste haringen zwemmen en waar de ijsberen loeren...

Al deze dieren zijn pas af als ze dat allemaal weten. Juist deze dieren hebben daarom veel zorg van hun vader en moeder nodig. En juist dieren die veel moeten leren, blijven dus het langst bij hun ouders, ook al kunnen ze al lopen of zwemmen en ook al zijn ze al aardig groot.

Mens

Van alle jongen worden mensenkinderen het langst verzorgd. Ze doen er een paar maanden over om te leren zitten, een jaar om te leren lopen, en veel meer dan een jaar om te leren begrijpen wat andere mensen allemaal zeggen. Daarna moeten ze nog zo veel mensendingen leren dat ze vaak bij hun ouders blijven wonen tot ze achttien jaar zijn, of nog ouder. En dat terwijl een muis van een jaar, of een stekelvarken van vier jaar, meestal al opa of oma is!

Kunnen slakken gaan samenwonen in een slakkenhuis?

Hoe leuk twee slakken elkaar ook vinden, samenwonen kunnen ze nooit. Een slakkenhuis is maar voor één slak gemaakt. En die draagt zijn op maat gemaakte huis zijn hele leven op zijn rug.

Slakken krijgen hun huis mee wanneer ze uit het ei kruipen. Dan is het huis nog zacht en klein. Maar als een slak in een goede buurt woont, wordt zijn huis algauw steviger. In zo'n goede buurt zit kalk in de bodem. En telkens als een slak wat water drinkt uit een plas of wanneer hij aan een blaadje knabbelt, krijgt hij ook wat van die kalk binnen. Dat is zijn bouwmateriaal. Daarmee kan hij zijn huis dikker maken. En daarmee kan hij nieuwe verdiepingen maken wanneer zijn huis te klein wordt. Aan de onderkant groeit dan een nieuwe ring die groter is dan de verdieping daarboven.

Als je een slakkenhuis kon binnenlopen, zou je zien dat de ringen in elkaar overlopen. Het huisje lijkt vanbinnen op een wenteltrap zonder treden die naar boven toe steeds smaller wordt.

Maar naar binnen lopen gaat niet, want zolang de slak leeft is zijn huis tot de nok gevuld. De slak bewaart daar namelijk zijn hart, zijn longen, zijn maag en zijn darmen. Die worden zo beschermd tegen klappen en tegen droogte, zonneschijn of vrieskou. Alleen de uitgerekte onderkant van zijn buik – zijn 'buikvoet' – en zijn kop durft een slak naar buiten te steken.

Met zijn ogen op steeltjes en de voelhoorns op zijn kop zoekt de slak zijn weg. Hij trekt zijn buikvoet samen en laat hem weer slap worden. Zo glijdt hij rustig – met een slakkengangetje – vooruit. Het slijm op zijn buik zorgt ervoor dat hij zijn buik niet schaaft. En als er een vijand opduikt, of als de zon brandt, kruipt hij vlug weer in zijn huis. Sommige soorten hebben zelfs een dun dekseltje om hun huis mee af te sluiten.

Als twee slakken elkaar onderweg tegenkomen, en eieren willen gaan leggen, houden ze hun 'nekken' een tijdje tegen elkaar. Door spleetjes in hun nek bevrucht dan de ene slak de eitjes van de andere slak. En omgekeerd, want de meeste slakken zijn vreemd genoeg mannetje en vrouwtje tegelijk. Als de slakken na een tijdje hun eitjes leggen – ergens onder een blad bijvoorbeeld – dan komen die uit hun nek.

Lang niet alle slakjes die uit de eitjes kruipen, worden groot. En lang niet alle grote slakken worden oud. Want er zijn heel veel dieren, en ook mensen, die slakken erg lekker vinden. En die zo hun trucjes hebben om een slak uit zijn huis te krijgen. Maar als je een groot en dik slakkenhuis vindt, weet je dat de bewoner van dit huis oud is geworden.

Waarom heeft een olifant geen ballen?

Olifanten hebben wel ballen. Ze hangen alleen niet in een zakje tussen hun achterpoten zoals bij bijna alle andere zoogdieren. De twee zaadballen van de olifant zitten veilig opgeborgen in zijn buik, zo'n beetje naast zijn nieren. Ze doen daar hetzelfde als de zaadballen van andere zoogdieren: miljoenen zaadjes maken. Als het tijd is om te paren, kan de olifant die zaadjes met zijn lange piemel een eindje naar de eitjes van een olifantenvrouw brengen.

Als mannetjeszoogdieren nog niet geboren zijn en nog in hun moeders buik zitten, liggen hun zaadballen eerst ook op dezelfde plek als bij de olifant, in hun buik dus. Pas kort voor de geboorte zakken de ballen naar beneden. Daar worden ze opgevangen in een huidplooi die al tussen hun benen klaarligt, de balzak.

Dat klinkt misschien een beetje vreemd: opgeborgen zijn in de buik lijkt veiliger. Maar een balzak heeft een groot voordeel. Het is er koeler dan in de buik. En als het een beetje koeler is, werken de zaadbuisjes die de zaadjes maken, beter. Ook de zaadjes zelf zijn fitter als het niet te warm is.

Waarom heeft de olifant dan zo'n ouderwets systeem, met zaadballen die binnen blijven? Misschien heeft dat te maken met een verre voorouder van de olifant. Als je de stamboom van de olifant bekijkt, kom je terecht bij een beest dat het grootste deel van zijn leven door het water waadde. Niet alleen de olifant stamt

De slurf van een olifant is niet alleen een snorkel. Het is een stofzuiger waarmee de olifant water opslorpt en een douchekop waarmee hij dat water over zijn rug sproeit. Het is een grijparm die dankzij een slim netwerk van spieren supersterk en toch fijngevoelig is. Zo kan een olifant met zijn slurf een boomstam vervoeren, maar ook een lucifer oprapen.

---

van dat dier af, maar ook een zoogdier dat helemaal voor het water heeft gekozen: de zeekoe.

Net als bijna alle andere zeezoogdieren dragen zeekoeien hun zaadballen in hun buik. Waarschijnlijk ook wel omdat ze zo beter gestroomlijnd zijn: als je snel en soepel door het water wilt glijden, zijn een paar bungelende ballen een beetje onhandig. Maar vooral omdat zaadballen tegen één ding bijna nog slechter kunnen dan warmte: tegen de kou van het water.

Misschien heeft een olifantenman het dus simpelweg aan zijn voorouders te danken dat zijn zaadballen in zijn buik zitten. En op de een of andere manier heeft een olifant er kennelijk niet veel last van dat het in zijn buik nogal warm is.

Er is trouwens nog meer dat aan die verre voorouder uit het water herinnert. Olifanten houden van water, ze kunnen ver zwemmen en ze kunnen hun slurf als snorkel gebruiken. Bovendien 'praten' ze met elkaar door heel lage geluiden te maken, zo laag dat mensen ze niet kunnen horen. Die geluiden kunnen andere olifanten kilometers verderop opvangen. Zo kunnen deze enorme zoogdieren, de grootste van het land, elkaar verstaan op dezelfde manier als walvissen, de grootste zoogdieren van de zee. En ja, ook bij walvissen zitten de zaadballen in de buik.

Vriezen de poten van een pinguïn nooit vast?

Nee, pinguïns vriezen niet vast op het ijs. De meeste pinguïns zien zelfs nooit ijs, of ze komen het maar een paar keer in hun leven tegen. De meeste pinguïns leven namelijk in warme streken: in Australië en Zuid-Amerika, op de eilandjes voor Zuid-Afrika en zelfs op de Galápagoseilanden vlak bij de evenaar. Van de achttien pinguïnsoorten op aarde wonen er maar vijf op de eilandjes rond het zuidpool-gebied, waar sneeuwvelden zijn, maar ook kale rotsen en kiezelstranden.

En er zijn maar twee soorten die hun hele leven doorbrengen in ijzig water en op diep bevroren sneeuwvlaktes: de grote keizerspinguïn en de kleine Adélie-pinguïn. Dat die pinguïns nooit vastvriezen, komt doordat ze superslimme poten hebben.

Zonder die poten zouden de pinguïns niet kunnen overleven. Bij keizerspinguïns bijvoorbeeld broeden de mannetjes maandenlang op een sneeuwvlakte. De ijzige wind jaagt er met soms wel tweehonderd kilometer per uur over hun kop en het wordt er tot zestig graden onder nul.

De pinguïns moeten alle zeilen bijzetten om warm te blijven. Ze schurken met zijn duizenden tegen elkaar om zich te warmen. Ze drukken hun snavel tegen hun borst om hun kop uit de wind te houden. En ze leggen hun warme buikplooi nog eens extra stevig over het ei dat op hun poten ligt.

Veel meer vogels gebruiken het pinguïnsysteem om
hun voeten koud, maar hun lijf juist warm te houden.
Kraanvogels die hoog over de bevroren toppen van de
Himalaya vliegen bijvoorbeeld. En reigers en ooievaars
die uren met hun lange poten in koud water staan.

Intussen proberen ze om zo min mogelijk vet – hun brandstof
– te verbranden. Want als hun warme speklaag verdwijnt, zijn ze
verloren op de barre pool. Daarom steken pinguïns ook zo min
mogelijk energie in hun poten. Die worden niet beschermd door
een laag spek en staan zomaar op het koude ijs. Warmte zou er
dus meteen uit weglekken.

Dat is niet de bedoeling en dus stroomt door de poten van
deze pinguïns koud bloed. Het warme bloed uit hun hart, dat
door de slagaders hun lijf in wordt gestuurd, stroomt nooit zomaar warm hun poten in. Helemaal boven aan de poten lopen
de slagaders namelijk vlak langs aders met ijskoud bloed dat net
uit de poten terug het lijf in komt stromen. Alle warmte uit het
slagaderbloed wordt dan gebruikt om dat ijskoude bloed snel op
te warmen. Zo houdt de pinguïn zonder dat het verder energie
kost alle warmte gewoon in zijn lijf.

Alleen blijft er dan haast geen warmte over voor de tenen, de
vliezen en de huid van de poten. Als het bloed uit de slagaders
daar via kleine adertjes terechtkomt, is het soms nog maar één
graad! Daarom zitten er ook geen spieren in pinguïnpoten, want
spieren kunnen slecht tegen kou. In pinguïnpoten zitten pezen,
die zelfs vlak boven het nulpunt nog werken. Daarom schuifelen
pinguïns altijd door, of ze nu koude poten hebben of niet.

Kan een flamingo bleek zien?

Soms zien flamingo's weleens bleek; niet zomaar voor een dagje, maar voor langere tijd. Een flamingo kan zelfs helemaal grijs worden, ook al is hij nog lang niet oud. Met leeftijd heeft dat grijs niks te maken. Een flamingo verliest zijn kleur door verkeerd eten. Als hij zijn lievelingseten weer krijgt, komt ook zijn kleur na een tijdje terug.

Het lievelingseten van flamingo's bestaat uit garnaaltjes, andere kleine waterdiertjes en algen. Met hun stevige snavel vissen ze die uit ondiep water op. En met elk garnaaltje of algje dat ze opeten, krijgen ze ook een beetje rozerode kleurstof binnen. Die kleurstof zit in de garnalen en de algen.

Garnalen maken die kleurstof niet zelf. Zij halen hem weer uit hun eigen eten: uit plankton, kleine bacteriën en ook uit algen. Dat zijn samen met planten de enige levende wezens die uit zonlicht van die rode kleurstof kunnen knutselen.

Caroteen heet die kleurstof. Je eet het zelf ook weleens, want caroteen zit in worteltjes. Maar daar merk je verder niks van. Zelfs als je elke dag worteltjes zou eten, krijg je nog steeds te weinig caroteen binnen om er roze van te worden. Hooguit word je ietsje sneller (oranje)bruin.

Bij garnalen is dat anders. Die zijn maar klein en krijgen vergeleken met mensen heel veel caroteen binnen. Dat garnalen toch meestal grauw zien in plaats van roze, komt doordat hun lijf het caroteen meteen inpakt. Om elk 'caroteentje' komt een eiwit

heen. Zo verdwijnt de kleur en blijft de garnaal gewoon grijzig.
Pas als je garnalen kookt in een pannetje, wordt het caroteen weer
'uitgepakt'. Dan kleuren de garnalen wel roze.

In flamingo's wordt het caroteen uit de garnalen ook uitgepakt.
Daarna wordt het naar de poten gestuurd, en naar de snavel en
de veren. Hoe meer plankton en garnalen er ergens zijn, hoe feller
de flamingo's opvlammen. In de Caraïben bijvoorbeeld zijn hun
veren bijna oranje – al komt dat soms ook doordat de ene soort
van zichzelf wat meer kleur heeft dan de andere.

Flamingo's en garnalen zijn ook niet de enige die extra kleur
krijgen van caroteen. Ook zalmen en forellen krijgen er mooi roze
vissenvlees van. In grote zalmkwekerijen stoppen kwekers daarom
extra caroteen in het voer. Zo wordt bleekroze zalm bijna oranje.
Mensen die vis kopen vinden dat er lekker en ook veel natuurlijker
uitzien dan gewone zalm.

Wil een stinkdier geen parfum op?

Misschien zouden sommige mensen het wel leuk vinden als alle dieren in de dierentuin een lekker luchtje droegen. Maar de dieren zelf zouden er van in de war raken. Ook de stinkdieren. Want net als de meeste andere dieren kunnen zij uit gewone dierengeurtjes en -luchtjes juist heel veel te weten komen.

Dieren ruiken of een soortgenoot een mannetje is of een vrouwtje. Of hij oud is of jong. Gezond of ziek. De lucht van poep en pies of een geurspoor vertelt ze dat ze in het woongebied van een buurman zijn terechtgekomen. Soms vertelt poep of een vrouwtje wil paren. Roofdieren ruiken hun prooi, en prooidieren ruiken vaak de dieren die op hen jagen. Parfum zou al die interessante en ontzettend belangrijke informatie verdoezelen. Zelfs voor een stinkdier.

In hun gewone doen stinken stinkdieren ook niet echt. De zwart-wit gestreepte wezelachtige dieren uit Noord-Amerika, zo groot als een kat en met een pluimstaart, ruiken hooguit een beetje sterker dan andere dieren. Maar niet zo sterk dat je ze zomaar voor stinkerd uit zou willen schelden.

Dat ze toch zo worden genoemd, komt door de twee stink-bommen die ze altijd bij zich dragen. Die stinkbommen zijn allebei zo groot als een druif en zitten verstopt onder het vet van hun billen, links en rechts van hun poepgaatje. Ze zijn gevuld met een stroperige, gele vloeistof. Die ruikt zo walgelijk, dat de tranen je ervan in de ogen springen en je er bijna van gaat over-geven.

Gelukkig is een stinkdier erg zuinig op zijn stinkende vloeistof.
Alleen in uiterste nood spuit hij een beetje uit de openingen van
speciale klieren bij zijn billen. Liefst zo min mogelijk en goed
gemikt. Hij draait dan zijn achterwerk naar zijn vijand en kiest
de beste strategie.

Soms is het beter om de vloeistof als een mist op een ander dier
te laten neerdalen. In andere gevallen werkt een stevige straal het
beste – en die schiet een stinkdier als het moet bijna vijf meter ver.

Na zo'n aanval druipen de meeste dieren wel af, om de rest van
hun leven met een boogje om stinkdieren heen te lopen. En het
stinkdier begrijpt dat waarschijnlijk best. Want als er iets opvalt,
is het wel dat een stinkdier veel moeite doet om geen vloeistof op
zijn eigen vacht te morsen of op die van zijn familie. Zijn stink-
bommen zijn er alleen om andere dieren te verjagen.

Voelen dieren zich weleens oud?

Als dieren oud worden, kunnen ze net als mensen grijze haren krijgen en stramme poten. Ze kunnen doof worden en alles niet meer zo scherp zien. Maar het is moeilijk te zeggen of ze dan denken: ik word oud.

De andere dieren in de omgeving zien waarschijnlijk ook wel dat het oude dier slecht loopt en een gegroefde kop heeft. Maar het valt te betwijfelen of zij denken: wat wordt hij oud. Waarschijnlijk denken ze: hij is zwak. En wie zwak is, staat er in de natuur niet goed voor.

Dorstige herten op zoek naar water wachten niet op een ziek, zwak dier. Antilopen die achtervolgd worden door leeuwen, kijken niet achterom waar hun kreupele tante blijft. En een zwakke aap wordt zo van zijn zetel gegooid, ook al was hij jarenlang de baas van de kolonie. Voor de andere apen is het belangrijker dat de sterkste de leiding heeft. Anders gezegd: voor dieren telt vooral het hier en nu.

Toch hebben dieren wel een gevoel voor tijd. Ze weten wanneer het tijd is om te jagen of om te eten. Alsof ze vanbinnen een klokje hebben, dat afgesteld is op hoe licht het buiten is en hoe warm.

Dat klokje kan bijgesteld worden door gewoontes. Een hond weet vaak precies wanneer zijn baas uit het werk thuiskomt. Dieren in een dierentuin weten waneer ze gevoerd worden. En de blauwe reigers in Amsterdam weten hoe laat de zeeleeuwen in Artis vis krijgen. Dan komen ze een haring meepikken.

Oud, ouder, oudst

In een dierentuin is het veilig en er is eten genoeg. Daarom worden dieren in een dierentuin vaak ouder dan dieren in het wild. Soms worden ze zelfs ouder dan mensen. Dan raken die mensen weleens de tel kwijt. Van een tamme geelkuif kakatoe is een recordleeftijd gemeld van 125 jaar, maar of dat ook klopt? En of het record voor reuzenschildpadden in de dierentuin echt 188 jaar is? Zeker lijkt wel dat deze schildpadden het oudst van alle dieren kunnen worden, zelfs in het wild worden ze meestal honderd tot honderdvijftig jaar. Ook sommige vissen bereiken een hoge leeftijd: in Artis leefde een sterlet die 54 jaar werd. En grote roofvogels, uilen, zwanen of pelikanen worden geregeld wel zestig of zeventig jaar oud.

Zo hebben dieren nog meer ingebouwde klokjes. Zoogdieren weten wanneer het tijd is om te paren. Zeeschildpadden weten wanneer ze op reis moeten om eieren te gaan leggen. En trekvogels weten wanneer ze uit Afrika moeten vertrekken om ergens in het noorden een nest te gaan bouwen.

Al die klokjes zijn heel precies afgesteld. Als de trekvogels een week later zouden vertrekken, zouden er tegen de tijd dat hun eieren uitkwamen te weinig dikke rupsen zijn om hun jongen mee vet te mesten.

Maar dat ze klokjes en wekkers hebben, betekent niet dat dieren ook weten wat tijd is. Dat ze snappen wat morgen is of gisteren. Dat ze doorhebben hoeveel jaar ze zijn. Dat ze zich herinneren hoe hun leven er vorige week uitzag of nog langer geleden.

Alleen van olifanten wordt gezegd dat ze een heel goed geheugen hebben. Misschien is dat de reden dat zij vaak terugkomen bij de resten van een dood familielid. Omdat olifanten zich misschien, als een van de weinige diersoorten, kunnen voorstellen hoe het was toen het dode dier nog rondliep.